年下王子の恋の策略

chi-co

イースト・プレス

contents

序章

洗い物を抱えて渡り廊下を歩いていたセルマは、ふと視線を流した先に、昨日までは気づかなかったものを見た。

「こんなところに……」

廊下から少し離れた場所に、数本の花が咲いている。庭師が植えたものではなく、どこからか種が飛んできて咲いたようで、華やかではなく楚々《そそ》とした、小さな薄紫色の花だ。

昨日は気づかなかったということは、花が咲いたのは今日だということだろうか。しかし、せっかくの花だが、このままこの場所で咲いていると誰かに踏まれるか、雑草として引き抜かれてしまうかもしれない。

小さなころ、花が大好きだった母は、庭に様々な種類を植えていた。そのほとんどはどこからか貰ってきた種から咲いたもので、これに似た花もあったように思う。

そう考えるとどうしても見過ごすことができなくなり、セルマは手に持っていた大きな籠《かご》を下ろすと、花の前で屈《かが》んで素手で土を掘り始めた。

花壇に移し替えるなんて出過ぎたことはできないが、それでももっと咲きやすい場所に移してあげたい。手が汚れるのも構わず、できるだけ根を傷《いた》めないようにと没頭していると、ふと視界にもう一つの手が映った。自分の手よりも大きく、綺麗で長い指のその主は、

「ライナスさま」

恐れ多くもこの国の第一王子、ライナス・オルグレインのものだ。セルマは慌ててその手を押しとどめる。

「お手が汚れます」

「構わないよ」

ライナスは目を細めて笑った。

「セルマが楽しそうだから、一緒にさせてくれないか?」

そんなに楽しそうな顔をしていたのだろうかと頬に手をやると、ライナスは噴き出しながらセルマの手を止めた。

「汚れてる」

「え? あっ」

そういえば直前まで土に触っていたと思い出し、自分の間抜けさに顔が熱くなった。

「拭《ぬぐ》ってあげたいけど……ああ、そうだ」

突然、ライナスが顔を寄せてきたかと思った次の瞬間、ぺろりと頬を舐《な》められる。あまりの驚きに固まったセルマとは対照的に、ライナスは呑気《のんき》に笑うだけだ。

「これが土の味か」

「ラ、ライナスさま」

「ん？」

「……いいえ」

　ここで何を言ったとしても、結局ライナスに丸め込まれてしまうのは目に見えている。賢く、穏やかで、王城内の召使たちにも、国民の間でも人気のある第一王子は、なぜかセルマに対しては子供のようにじゃれてくるのだ。

（もう、立派な大人になられたのに……）

　初めて会った時、ライナスはまだ十五になったばかりの少年だった。もちろん、その当時でも二歳年上だったセルマより十分身体も大きかったが、その表情にはまだ子供っぽさが残っていた気がする。

　あれから七年。セルマにとって大きな悲しみがあり、生活もがらりと変わったが、その間もライナスは陰になり日向《ひなた》になり、セルマの側にいてくれた。

　こんなことを思うのは恐れ多いが、セルマにとってライナスは当初、弟のような存在だったのだ。

　しかし。

「セルマ」

　名前を呼ばれて視線を向けると、今度は柔らかな感触が唇に重なる。明らかな意図をもってされたくちづけに、セルマは今度こそ驚いて息が止まりそうになってしまった。

「今日も可愛い君を見られてうれしいよ」

「こ、こんなところで何をおっしゃって……」

「じゃあ、今夜君の部屋でなら言ってもいい？」

そういう問題ではないのだが、耳元で囁《ささや》かれる甘い声に、セルマは抵抗しようがないのだ。

セルマの戸惑った雰囲気を感じ取ったのか、ライナスはもう一度だけ軽く唇を合わせてから、花を土ごと持ち上げた。

「向こうに植え替えたらいいかな？」

「は、はい」

既に歩き始めたライナスの背中を追いながら、セルマは小さく息を吐いた。

こんなふうにドキドキとさせる一方で、さっと引くライナスの振る舞いにいつでも振り回されてばかりだ。

「セルマ、ここでいい？」

「はいっ」

（まさか、ライナスさまとこんなことになるなんて……）

思いもしなかったライナスとの今の関係。身分の違いを考えたらこれ以上深みにはまってはいけないと思うのに、優しく抱きしめてくれる腕を手放せない我儘《わがまま》な自分がいる。

「……私の方が年上なのに……」

小さな呟《つぶや》きは、幸いにもライナスには聞こえなかった。

第一章

覚えているのは、抱きしめてくれる母の細くて優しい手だ。

いつも微笑んでいた母と暮らす日々は宝物のように鮮やかな色彩に満ちていて、ずっとこの毎日が続くのだろうと漠然と考えていた。

そんな日々が突然終わってしまったのは、あと五日で十歳の誕生日を迎えるという時だった。

元々病弱だった母は風邪をこじらせ、呆気なくこの世を去ってしまった。

十歳だからこそ、母の死は理解できたし、永遠の別れに涙は止まらなかった。

そんな寂しい葬式に現れたのが、立派な身なりをした壮年の紳士だ。

「セルマ」

淡々と名前を呼ぶ声に、冷めた眼差し。初対面だったが、セルマはこの男の人の顔を知っていた。質素で、持ち物も少なかった母が、唯一大切にしていた鏡台の引き出しの中にしまっていた絵姿《えすがた》にあったからだ。

セルマの知る母よりもずっと若い母は、この男の人の隣で静かに微笑んでいた。いったいどういう存在なのか一度も尋ねることはできなかったが、セルマは少しだけ期待もしていた。

　金髪で、綺麗な緑の瞳をしていた母。セルマは、金髪に薄茶の瞳だった。目の前の人は、濃い茶色の髪に、薄茶の瞳だ。

　自分と同じ瞳の色の、この男の人はきっと――。

　セルマがじっと見つめていると、男の人はすぐに視線を逸らして言った。

「すぐに出掛ける用意をしなさい」

「え？」

「お前は今日から私の屋敷に引き取ることになった」

「あ、あの、あなたは私の……」

「早くしなさい」

　母以外身寄りのない自分は、てっきり施設か教会に引き取られるのだろうと思っていた。しかし、突然現れた目の前の人は、このままセルマを連れて行ってくれると言う。

（もしかしたら、私の……お父さん？）

　尋ねたくて、だが、男の取り付く島のない態度に何も言えなくて、セルマはとりあえず持っている一番上等の服を着て男の人についていった。

　初めて見る立派な馬車に揺られ、着いた先は都でも上流階級の人たちが住む屋敷街だ。

（こ、ここって……）

その中の一軒の屋敷の門をくぐった馬車は、広い玄関前に停められた。

「降りなさい」

慌てて馬車から降りたセルマは、男の人の背中について行く。開け放たれた玄関先には、綺麗に着飾った、母よりも年上の女性がにこやかに笑って立っていた。

「あなた、その子？」

「……ああ」

女の人はセルマに近づくと、真上から観察するように見つめてくる。笑っていると思っていたのに、これだけ近づくとその目がまったく笑《え》んでいないのがわかり、わけのわからない震えが全身を貫いた。

「お前は今日から我がバークス家の娘として暮らすことになります。ですが、勘違いをしてはいけません。あなたはあくまでもわたくしたちの慈悲を受けて引き取られただけ。その身に貴族の血が流れているとはくれぐれも思わないように」

突然突きつけられた言葉に、セルマは意味がわからないまま、助けを求めるように男の人を見上げる。だが、そんなセルマの態度はどうやら女の人を不快にしてしまったらしい。

「男性に媚《こび》を売るなど、母親にそっくりね」

「お、お母さんが……」

「あなたの母親は、この屋敷で働いていた時にわたくしの主人を誘惑したの。可愛らしい顔をして、従順で、あれが愚かな淫売だとはまったく思わなかったわ」

女の人はまるで同意を求めるように男の人を見た。

「子種まで盗んで、何もいらないから産ませてくださいと言ったくせに、結局最後はこちらに押し付けてくるのね。……あなた、この子によく言い聞かせてくださるわね」

「……わかった」

（ど……いう……）

立ち去る女の人を呆然と見送ったセルマは、上着を強く握りしめる。足が震えて、今にもこの場にしゃがみ込みたいのに、それさえも許されないような気がした。

「セルマ」

男の人がセルマを呼んだ。しかし、ついさっき家で呼ばれた時にあった期待感はもうない。

「……私は、お前の父親だ」

望んでいた言葉にも、上手く反応ができない。

「先ほどここにいたのは私の妻だ」

「だ、だったら、お母さん……お母さんは？」

「……愛人だった。お前を身ごもった時に里に帰らせた」

言葉を選ぶことなく告げる男の人――――父は、セルマに今後のことを告げるが、セルマの耳には届かない。

それでも、自分の運命が大きく変化してしまったことはひしひしと感じていた。

セルマの父は貴族で、母はその屋敷で働いていたメイドだった。

母が父を誘惑し、強引に関係を持ってできてしまった子供を殺すことなく生ませてくれた父の妻は、慈悲深く、母親を病気で亡くしたセルマを引き取ってくれた。

十歳を迎える直前、セルマはバークス家の養女になった。

父とその妻の間には二人子供がいて、上の異母兄とは十六歳、下の異母姉とも十二歳離れていたせいか、酷く苛められることはなかったが、まるで空気のように無視をされた。

セルマが引き取られた半年後に、異母姉の結婚式があるということで、セルマは日常の行儀作法を一から叩き込まれることになった。セルマの父が亡くなった愛人の子供を引き取ったという話は知れ渡っているらしく、継母として父の妻——イザベラに、絶対恥をかかさないようにと厳命されたのだ。

貧しいながらも穏やかな母との生活から一変、何不自由ないが息苦しく寂しい生活。

それでも、本当の父親に引き取られ、愛人の子供なのに本宅に引き取ることを了承してくれた義母には感謝しなければならない。

セルマはそう自分に言い聞かせ、一生懸命貴族の娘としての作法を身につけた。

異母姉の結婚式の時には、「形だけは間に合ったわね」と義母に言ってもらえた。

そして。

「セルマ」

セルマが十七歳の誕生日を迎えて数日経った時だった。

「お客さまのお相手をしなさい」

父に言われて客間に向かったセルマは、そこで初めて見る男に丁寧に頭を下げた。

「いらっしゃいませ」

「お嬢さんかな？」

「はい。セルマ、この方はエルバート・フレイン卿《きょう》。我が国の大臣をなさっていて、現王妃の従兄でいらっしゃるんだ」

顔を上げたセルマに、男は優しい笑みを向けてくれる。

父より年上のようだが、肌艶も良く目に力があるせいか弱弱しくは感じなかった。何より、その声や眼差しに、思慮深さや明晰《めいせき》さが垣間見える。

その時は父の大切な客人だと思ったので精一杯のもてなしをしたが、フレインが帰宅したその夜、セルマは父と義母の部屋に呼ばれた。

娘として育てられているとはいえ、こんなふうに両親の部屋に呼ばれたことは今までになかった。だからこそ、セルマはいったい何を告げられるのかと、わずかな不安を抱きながら二人の顔を見つめた。

引き取られてから七年。日々の手入れの効果か、義母の容姿にそれほど変化はないが、父は年をとった。ただ、自分の顔を真っ直ぐに見てくれないところは変わらなかったが。

「フレインさまのことをどう思って？」

「え？」

義母は珍しく楽しげな口調で尋ねてくる。その意味はわからなかったが、セルマは当たり障りのない返答をした。

「とても立派で、お優しそうな方だと思いました」

するると、義母はほらと父を仰ぎ見る。

「やっぱり、セルマもあの方を気に入ったでしょう？」

（……どういう、こと？）

父を見ても、その口は引き結ばれたままで何も言わない。しかし、義母はまったく気にした様子もなく続けた。

「フレインさまは五年前に奥様を亡くされて、今はお一人なのよ。お子さまもとうに独立なさっていらっしゃるし、何の障害もないなんてこれほど良い話があるかしら」

「あの、お義母さま」

「あなたももう十七歳。これまで育ててきた恩をここで返してもらいたいの」

セルマも、察しが悪い方ではない。ここまで言われたら、義母が何を望んでいるのかは容易に想像できた。だが、父はどうなのだろう。父も、義母と同じ気持ちなのだろうか。

「お父さま、お父さまもお義母さまと同じ気持ちでいらっしゃるのですか？」

すぐに返事はなかった。だが、しばらくしてゆっくりと頷いた父は、ようやくセルマの顔を見た。

「フレイン卿は立派な方だ。お前もきっと幸せになれるだろう」

「……」

どんなに立派な人間でも、相手は父ほども年の違う相手だ。そんな相手と結婚して幸せになれると父たちは本当に思っているのかどうか――いや。

（これも、私の運命なのかもしれない）

心情的にはどうであれ、何不自由なく暮らせたのは間違いなく父と義母のおかげで、彼らが望むのならば、受け入れる以外選択肢はない。

セルマは反論することもなく頷いたが、肝心のフレインの方が父の申し出に難色を示した。セルマ以上に、年の差が気になったらしい。

「五十六歳？」

本人から歳を聞いて、セルマはさすがに驚いた。父より二歳だけ年上だという事実に純粋に驚いたのだ。

「バークス殿の申し出はありがたいが、私と君とでは祖父と孫のようなもの。若い君の未来を閉ざすようなことはしたくないんだよ」

東屋《あずまや》で二人きりの時にそう言われ、セルマはどう返事をしようか迷ってしまった。

てっきりフレインの方からの求婚だと思っていたのに、今の話では父の方から持ち出した話のようだ。

てしまうよ？」

「よく考えなさい。いくら老い先短いとはいえ、数年間君は私のお守りをすることになっ
「あの」

「……ふふ」

フレインのおどけた言葉に、セルマは思わず笑ってしまった。そして、同時に嬉しくも思った。フレインが自分の気持ちを優先して考えてくれているのが、なんだかたまらなく胸の中を熱くする。

たぶん、今セルマが抱いている感情は、愛とか恋とかとは違う感情だ。

それでも、フレインと共にいれば、きっと穏やかで優しい時間が流れていくことになると思う。

セルマの気持ちが固まれば話は早かった。

身分が高い者が年若い相手を愛人にすることは珍しくなく、フレインの場合は正妻がいないこともあってセルマが後妻に迎えられることに異論も出なかった。それには、相手がバークス家という同じ貴族だということも理解があったのかもしれない。

ささやかな式を挙げ、セルマはフレインと結婚した。セルマが十七歳、フレインが五十六歳という、三十九歳もの年の差があった結婚だった。

フレインの屋敷で暮らす時間は、想像した通りゆったりとした、静かで温かなものだった。

使用人たちも主《あるじ》の孫のような年若い後妻であるセルマを受け入れてくれた。

博識《はくしき》なフレインからは学ぶことも多く、セルマは日一日と増える知識に嬉しくなった。

毎週末には、二人そろって教会に行くことも習慣になっていた。

「まあ、エルバート！」

結婚してから二カ月ほど経った時、フレインと一緒に教会に入ろうとしていたセルマは、突然背後から聞こえてきた声に思わず足を止めた。

フレインの名前はエルバートだ。しかし、年の差があり、まだ知り合って数カ月のセルマにはとても名前を呼べるはずもなく、「旦那さま」と言っていた。それが、こんなにも親しげに彼の名前を呼ぶとは、それも、女性だということに驚いてしまったのだ。

視線を向けた先には確かに女性がいた。見るからに上流階級の人間だとわかる外見と物腰だ。

女性は一人ではなく、背後に二人の少年を連れていた。

「シャルロット」

フレインも親しげにその名を呼ぶ。知り合いだろうかと、セルマは一歩下がって頭を下げた。

「ご結婚されたとお聞きしたけれど……」

その次に続くはずの祝いの言葉がない。どちらかといえば戸惑っている様子の女性に、セルマは自己紹介してもいいものかどうか悩んだ。

初めは結婚に慎重だったフレインだが、一度セルマを受け入れると決めた以降はきちんと周りにも紹介してくれる。

「私が無理に結婚を申し込んだんだよ」

そう言って、年の差ゆえの好奇の視線がすべて自分の方へくるようにわざとしている。今回も戸惑う女性に向かい、セルマの腰を軽く押しながら堂々と言ってくれた。

「妻だ」

「……」

何とも言えない視線の意味は、驚きか痛ましいと思われているせいか。

これだけの歳の差ならば政略結婚だと思われてもしかたがなくて、セルマは少しでも好印象を持ってもらえるよう丁寧に頭を下げた。

「セルマと申します」

「セルマ……わたくしはシャルロット・オルグレイン。エルバートとは従兄妹《いとこ》同士なの」

(従兄妹……オルグレインって……っ)

『セルマ、この方はエルバート・フレイン卿。我が国の大臣をなさっていて、現王妃の従兄でいらっしゃるんだ』

初めてフレインに会った時、確か父はそう言った。

そして、この国の王妃の名前は、シャルロット・オルグレインだ。

女性が王妃だと気づいたセルマが慌ててその場に跪《ひざまず》こうとするのを制し、フレインが悪《いた》戯《ずら》っぽく笑って言った。

「この場は彼女も私人《しじん》だ」

「で、でも」

王妃を目の前にそんな不敬《ふけい》でいいのだろうかと焦るが、当のシャルロットも先ほどまでの複雑な表情を消して優しく笑んでくれる。

「エルバートの言う通り、ここではわたくしは一国民。それよりも、エルバートの従妹としてお話ししてくださったら嬉しいわ」

「王妃さま……」

「シャルロットと呼んで。ああ、この子たちはわたくしの息子なの。ご挨拶なさい」

振り向いて言ったシャルロットに応えるように、年かさの少年がセルマに頭を下げた。

「ライナス・オルグレインです。初めまして」

聡明《そうめい》そうな眼差しの少年は、セルマとそれほど年は変わらないように見える。

「アレク、お前も」

「……アレクシス・オルグレインです」

ライナスより幾つか年下らしいアレクシスは、ぶっきらぼうに名前を言ったきりそっぽを向いた。

兄弟とも母親似の金髪に青い目をしていて、顔の造作も整っている。最初は華やかな容貌のアレクシスに視線を奪われたが、セルマはすぐにその隣にいる冴えた眼差しの持ち主であるライナスが気になってしまった。

一見して物腰は柔らかく、セルマに対しても友好的に接してくれているが、どこか一線を引かれている気がしたのだ。

もしかしたら、母や弟に近づく者として値踏みされているのかもしれない。

まだ少年だというのに、第一王子としての風格を十分感じてしまった。

「これからよろしくね、セルマ」

「は、はい」

緊張して頭を下げるセルマを、二人の王子はずっと見ていた。

それから、かなりの頻度で教会でシャルロットと会った。

信心深い彼女は平日は王城内の神殿で祈りを捧げ、週末は国民との交流をするために都の教会に来ているらしい。

シャルロットは顔を合わせるたびにセルマに親しげに声をかけてくれ、彼女のつながりで様々な上流階級の奥方とも交流するようになった。

その際にセルマが恥をかかないよう、細々とした礼儀作法や貴族の妻としての常識についても教えてくれた。

フレインは、セルマの良き相談相手としてシャルロットを紹介してくれたのではないか。セルマが自分からシャルロットに相談し始めたのは、それから間もなくのことだった。

「旦那さまがシャルロットさまを紹介してくださって本当に良かったです。わたくし、知らないことがたくさんあるので」

「君は十分よく尽くしてくれているよ」

「旦那さま……」

妻として未熟なセルマを、フレインはいつも言葉や態度で労《いた》わってくれる。もちろんそれは嬉しいが、本当にこのままでいいのだろうかと悩んでいることもあった。

それは、フレインと身体を重ねていないことだ。

頬にくちづけはするものの、唇にしたのは結婚式の時だけ。夜も一緒のベッドに横になっているが、手を繋ぐのが精一杯だった。

いくら世間知らずといっても、セルマも男女の交わりがどういうものか、知識だけでは知っている。フレインとの子供は想像できないが、今のようにただ優しく甘やかされるだけでいいのだろうかと考えてしまうのだ。

きっと、自分にはフレインをその気にさせる魅力に欠けているのだろう。申し訳なくて心苦しいが、フレインはそんなセルマの心情にちゃんと気づいてくれていた。

「私は、こんな年寄りのもとに嫁いでくれた君に感謝しているよ。寂しいだけだった余生に、温かさや喜びを与えてもらった。それだけで十分だ」

それが本心だとわかるからこそ、セルマは優しい夫にたくさん尽くしたいと思う。

その気持ちのままに、そっと彼の身体の隣に寄り添った。

「こんにちは、フレイン殿、セルマ殿」

教会に行って、王妃と王子に会うことにも慣れた。

「ライナスさま、十五歳だったのですか？」

「ええ、ようやく成人の儀を迎えます」

何気ない会話のなかでライナスの年齢を聞き、自分より二歳も下だということに驚いてしまった。

十五歳を迎えれば、名実ともに大人だ。ただ、実際の年齢以上に大人びているライナスを見ると、自分ももっとしっかりしなければと気持ちを引き締めることが多い。

頻繁に顔を合わせているせいか、ライナスが第一王子にふさわしく聡《さと》くて穏やかな性質だというのは感じ取れた。好奇の目を向けられて当たり前の自分たち夫婦に対しても、きちんと誠実に向き合ってくれる。

時折、冷めた目を見せることもあるが、大体において王子らしい王子だった。

反して、第二王子のアレクシスは、外見は完璧に整った王子だった。

まだ十二歳だが、この先の成長を考えても、素晴らしく見目麗しい青年に成長するのがわかる。

少々我が強く、セルマに対してもまったく興味がないといった様子を隠さないが、それがかえってアレクシスの外見と相反する子供っぽさが垣間見えて微笑ましく思えてしまった。

共通するのは、二人の母、シャルロットに対する優しさだ。母親が大好きな様子が見えて、それが幼いころ亡くなった自分の母に対する思いと重なる。

母が亡くなることがなければ、今の自分はここにはいない。フレインと結婚することもなかっただろうし、王妃や王子たちに会うこともなかっただろう。

どちらが良かったかなんて、可能性を考えてしまえば何とも言い難いが、それでも今を幸せだと感じる自分が確かにいた。

＊　＊　＊

「こんにちは、ライナスさま」

「こんにちは、セルマ殿」

教会の入口で会ったセルマがにこやかに挨拶をしてきたので、ライナスは当然のように言葉を返す。

彼女の隣には夫で、母の従兄であるフレインが静かに寄り添っていた。

初めて会った時は、二人のあまりの歳の差に内心驚いた。後で聞けばセルマは自分よりも二歳だけ年上だとわかり、さらに驚いた。

上流階級では珍しくない年の差の夫婦だが、まさかフレインが孫といってもおかしくないほどの少女と結婚するとは思わなかったのだ。

大国、オルグレイン王国の第一王子として生まれたライナスは、物心ついたころから自分がずいぶん冷めた感情の持ち主だという自覚があった。

媚《こ》び諂《へつら》う臣下たちや、大げさに敬う召使たち。

ライナスという個人ではなく、オルグレイン王国の王子としての自分だけが必要とされているようで、生まれた環境を恨めしく思ったこともある。

しかし、年を重ねるうちに、ライナスの心境は少しずつ変化した。どうせこの立場から逃れられないのなら、自分が一番生きやすい環境にしてやろうと思ったのだ。

微笑み一つ、慰労の言葉一言で、周りは自分のことを賢く優しい王子だと褒め称える。三歳年下の弟が素晴らしく容姿に優れているのに対し、ライナスは温和で思慮深い王子だと。

弟、アレクシスは好き嫌いが激しくて敵を作りやすい性格をしていたが、ライナスには無条件でなついてくれたし、その天使のような笑顔を向けられると心が癒された。

オルグレイン王国は第一王子が後継者になるわけではなく、現王の指名で次期王が決まる。ライナス自身、王座というものにそれほど強い執着はなかったが、純粋な弟が王になってしまえば、様々な黒い思惑や人々の妬みで、綺麗な心が傷つけられてしまうかもしれない。ライナスはそれを恐れた。

内々に、父が自分を次期王にしたいらしいというのを感じてもいたライナスは、それに相応しいように知識も人格も磨いた。

成人の儀を終えて間もなく、母の通う教会でフレインと久しぶりに再会した。

私欲渦巻く王城の中で、数少ない人格的に素晴らしい貴族だったフレインだが、妻を亡くしてからは王城に上がる回数もぐっと減っていたのだ。

そのフレインが娶った年若い後妻。誰が見ても財産狙いか、政略的に縁を結んだと思った。

だが、見るたびに二人は仲睦《むつ》まじくなっていった。フレインはセルマを慈しんでいたし、セルマも本心からフレインを慕っているように見えた。二人の関係は一般的な夫婦とは違うようにも思えたが、それでも幸せな一対《いっつい》であることは疑い深いライナスも認めざるをえなかった。

母と話しながら、先に教会の中に向かうセルマの背中を何気なく見送っていると、軽く肩を叩かれた。

「私たちも行こうか」

「はい」

今日、アレクシスは逃げ出していて、一緒に来てはいない。最近は母と行動することを気恥ずかしく思うようになったのか、アレクシスはこうして逃げ出すことが多くなった。

いくら護衛がいるとはいえ、母一人を教会に寄越すことはできないライナスの心が読めたのか、フレインは頬に笑みを浮かべながら言った。

「お前は本当に優しい子だね」

「……そんなことはないです」

感情ではなく、色々なことを想定した結果、ここにいるだけだ。すべてを計算ずくで行動している自分は優しいとは言わない。

「いいや、人というものの本質は見ればわかる。お前は息子として兄として、これ以上ないほど立派だ」

「……」

「だが、少し頑張りすぎているようにも見えるな。肩の力を抜いたらどうだ？」

抜きたいと思うこともあるが、現状を考えたら自分がしっかりしていなければならないことも十分わかっている。

フレインの言葉は嬉しいが、それはできなかった。

すると、今度は髪を撫でられる。既に背丈はフレインと変わらないが、こんなふうにされるとなんだか子供になってしまったようだ。

「お前も、好きな相手ができれば変わるかもしれないな」

「え？」

「男は、女で変わるものだよ」

笑いながら言われた言葉が、なんだか妙に耳について離れなかった。

「あら、エルバートは？」

ある日、教会にやってきたのはセルマだけだった。

「少し風邪をひかれたみたいで」

「大丈夫なの？」

「はい。私もお側にいたかったのですけれど、二人とも来なければシャルロットさまが心配されるからと」

そう言いながらも、セルマの顔には心配でたまらないといった感情が見える。

「……送りましょうか？」

次の瞬間には、ライナスはそう言っていた。

「母と会ったのですから、フレイン殿との約束は果たされたでしょう？　それならば、もう屋敷に帰られても問題はない」

突然の申し出に驚くセルマと母に、ライナスはすらすらと理由を口にする。

「いいですよね、母上」

「そうね。ライナス、頼めるかしら？」

「あ、あの、わたくし一人で……」

「すぐに引き返してきますから」

遠慮するセルマの腕を強引に掴み、ライナスは自分たちが乗ってきた馬車へ向かった。

「あのっ」

「遠慮せずに」

「ありがとう」

次に聞こえた言葉に思わず振り返ると、セルマが感謝の気持ちいっぱいの視線をこちらに向けていた。

「……いい、え」

馬車で送るなど何でもない。実際に操るのは御者《ぎょしゃ》で、ライナスは乗っているだけだ。それなのに、こんなふうに感謝されるとくすぐったくてしかたがない。

(……腕も、細い)

二歳年上でも、セルマはまだ十七歳の少女だ。身体は細いし、表情だって幼い。

こんな人が、あの立派な男であるフレインに組み敷かれているのだろうか——一瞬、そんな卑《いや》しい想像をしてしまい、ライナスの胸の奥がざわめいた。

「心配ですか?」

「ええ」

「……好きなんですね」

馬車の中で向かい合い、確認するように言ったライナスの言葉に当惑したような間が

あった後、

「とても、尊敬しています」

「……そうですか」

セルマは噛みしめるように告げた。

素直な言葉に、ライナスは好感を抱いた。


それから数年、付かず離れずの交流が続いた。

セルマを気に入った母が彼女を王城に招くようになり、最初こそフレインが同伴しなければ来城を渋っていたセルマも、徐々に一人でも遊びに来るようになった。

いつも笑みを絶やさず、時折とぼけた言動をして笑わせてくれるセルマ。

気取らない彼女といる時間は、ライナスにとっても居心地が良かった。

しかし、数カ月前から元気がなくなった。

「エルバートが病気らしいの」

母の言葉を聞いて何度も見舞いを申し出たが、弱った姿を見せたくないというフレインから断られてしまった。

そして――――。

もうすぐ春を迎えるという肌寒い朝、フレインは亡くなった。

六十一という年齢が早すぎなのかどうか、ライナスにはわからない。それでも、葬儀の席で見たセルマの憔悴《しょうすい》ぶりは、こちらの胸が引き裂かれそうなほど悲愴《ひそう》なものだった。

「これで、フレイン家の財産はあの後妻のものだな」

「すぐに若い男を引き入れるんじゃないか」

「私でもいいかもしれないな」

「はは、年を考えたらどうだ」

葬儀に参列しているというのに、好奇で野卑《やひ》な思惑を声を落とさず口にする者たちに吐き気がしそうだ。幸いにというか、セルマはそんな声もまったく耳に入らないようで、ただじっとフレインの眠る棺《ひつぎ》を見つめている。

「セルマ」

母が泣きながらその名を呼ぶと、セルマはようやくこちらに顔を向けた。いつもは蜂蜜色に輝いている目が涙に濡れ、一気に頬を伝って流れ落ちる。

髪を結い上げ、細い首筋が露《あら》わになって、喪服に身を包んでいるセルマはとても弱弱しく、不謹慎にもとても綺麗に見えた。

「わ……たし……」

「セルマ」

「一人に、一人になって……しまって……」

「セルマ……」

「……っ」

顔を覆って泣くセルマを母が抱きしめた。ただ立っていることしかできないライナスは、唇を噛みしめて棺を見やる。

（どうして……セルマを一人にしたんですか……っ）

病に倒れてしまったフレインこそ、セルマを残して逝《い》ってしまうことが心残りだったろうが、ライナスには行き場のない怒りがこみあげていた。

（セルマを、どうするんですか！）

優しい彼女が莫大な遺産を持つ未亡人になってしまったら、それこそあっという間に悪い奴らに食い物にされかねない。聡いフレインはそれをわかっていたはずなのに、なぜ何の手も打っていなかったのか。

それほど、病魔はあっという間に身体を蝕んだのか。

「セルマ、城にいらっしゃい」

そんなライナスの耳に、母の声が届いた。

「ここで一人で暮らすのは寂しいでしょう？　エルバートも、あなたのことをとても心配して、わたくしに手紙を寄越していたの」

ライナスも思いがけなかったが、セルマも知らなかったようで、驚いたように涙で濡れた目で母を見上げる。

「……旦那さまが？」

「ご実家に帰られたいのなら引き留めはしないけれど、もしも……もしも、行く当てがないのなら、城に上がってわたくしの侍女《じじょ》になってもらえないかしら。もちろん、大切な従兄の大切な奥様として、あなたの気持ちを最優先するわ」

（……セルマが、城に）

どうやら、フレインはちゃんとセルマの行く末を考えていたらしい。

多分、セルマが実家に戻ってしまえば、彼女はまた別の男との結婚を押し付けられるだろう。セルマの生い立ちをフレインから聞いた母が零していたことから考えたら、絶対に間違いない。

しかし、今ならばセルマは己の意思で行動できる。

ライナスは再び棺を振り返った。

（すみません……）

ライナスが気をもむ前に、フレインは行動していた。何も知らずただ不満をぶつけようとしていた自分が恥ずかしくてたまらない。

「でも……」

セルマは母の突然の申し出に戸惑っている。無理もない、フレインが亡くなったばかりで、まだこの後のことを考える気持ちの余裕などないのだろう。

「ゆっくり考えていいのよ。何かあったらすぐに連絡をしてね？　わたくしは絶対にあなたの味方だから」

「……はい」

その場でセルマは答えなかったが、ライナスはもう頭の中で素早く計算していた。どうすればセルマの方から城に行くと言ってもらえるか、そうするには自分が何をすればいいのか。

「ライナス、あなたもセルマの力になってあげて」

「はい」

ライナスは力強く頷いた。

自分でも、どうしてここまで気持ちが動くのか、はっきりとした理由がわからなかった。いや、ほんの少し考えればわかるものを、わざと目を逸らしていることを自覚していた。

セルマはフレインの妻で、自分はこの国の第一王子だ。

いくら母が親しいからといって、この関係を大きく崩すことは容易ではない。

それでも、このままセルマとの繋がりがなくなってしまうことだけは避けたかった。尊敬していたフレイン以外の男の隣で、セルマが微笑む姿なんて想像したくない。

「セルマ、母の言うように、城に上がることも考えてほしい」

「ライナスさま……」

「私たちは君を歓迎するよ」

青白かったセルマの頬に、少しだけ赤みが戻ったように見えたのは気のせいだろうか。

「母上、さっそくセルマを迎える準備を整えましょう」

葬儀からの帰りの馬車の中でそう切り出すと、母は驚いたような目を向けてきた。

「まだセルマの返事をもらっていないのに？」

「きっと、来てくれますよ」

「どうしてわかるの？」

それには答えず、ライナスは窓の外を見る。既にフレイン家の財産の処理や、城での待遇に関して、考えなければならないことは多い。

（……ふ）

そこまで思って、ライナスは笑みを零した。セルマに対する自分の気持ちがわからないと言いながら、ここまでしている行動の原動力があからさまに見えたからだ。

（フレイン殿、お任せください）

『男は、女で変わるものだよ』

いつか、そう言ったフレインの言葉が頭の中に蘇る。まさかフレインも、それが誰を指すのか想像していなかっただろうが、きっとこれは運命だったのだ。

（セルマ、私が君を守るから）

母や弟を守ってきたように、今度はセルマを守る。

ライナスはいまだ心配でセルマを見守っているであろうフレインに誓うよう、心の中で呟いた。

第二章

「シャルロットさま、お茶をいかがですか？」

　東屋に腰を下ろした主に向かい、セルマは静かに問いかける。

「ありがとう。セルマも一緒にいかが？」

「ありがとうございます」

　合図を送れば、自分とは違う者が素早く茶の用意をしてくれた。シャルロットが望んだとおり、セルマとの二人分だ。本来なら使用人としては辞さなければならないのだろうが、セルマはシャルロットの厚意をありがたく受け入れた。

　セルマがオルグレイン王国、王妃シャルロットの侍女として城に上がってから二年の月日が経った。

　シャルロットから誘いを受けた時、正直に言って何も考えられなかった。

　五年間一緒に暮らしたフレインがいなくなってしまったということが信じられなくて、あっという間に時間が経ってしまった。

　だが、

「そろそろ帰ってきなさい」

　両親がフレインの屋敷にきてそう言った時、セルマはようやく意識の焦点が合った気がした。

「この屋敷ならばすぐに買い手がつくでしょう」

「遺産はわたくしたちがきちんと管理をしてあげます」

「あなたには新しい、良い結婚相手を見つけてあげるわ」

　どこか嬉々とした義母の言葉に頬を叩かれた。

　ここは、フレインの大切な場所で、自分の幸せな時間が詰まった場所でもある。フレインからもらった、形のない多くのものを考えた時、彼が築いた遺産を受け取る気はないし、ましてや再婚する気などまったくなかった。

　それでも、彼らはセルマのことを自分たちの自由になる存在だと軽く考えている。このままでいればきっと、引きずられるようにしてバークス家に連れ帰られてしまうはずだ。

　そこまで考えた時、セルマはシャルロットに連絡をとった。己の身の振り方より先に、フレインの屋敷を守る手助けを欲した。

　すぐにライナスが動いてくれて、フレインの屋敷は嫁いでしまっている継子《ままこ》に代わり、使用人ごと彼の甥が引き受けてくれた。現金や宝石などの他の遺産はセルマの意思で継子にすべて渡した。

　身一つになったセルマをライナスが城に連れて行ってくれ、フレインが亡くなってひと月後には、王城での新しい暮らしが始まったのだ。

シャルロットは従兄の妻だったセルマを何かと気にかけてくれるし、ライナスもことあるごとに声かけをしてくれる。

「今日は、レイカ姫がいらっしゃっているようね」

「はい。アレクシスさまがお相手をなさっています」

そう答えたセルマの頬には自然と笑みが浮かんだ。

十九歳になったアレクシスは、少年のころの美貌をさらに磨き上げたかのような、とても秀麗な王子になっていた。セルマに対しては、今では多少打ち解《と》けてくれているが、それでもどこか頑なで、どこか子供っぽい気ままさがあるところは変わっていなかった。

そんな彼が、唯一自らが動き、言葉をかける相手が、隣国エクレシアの第一王女、レイカだった。

十四歳になったばかりの彼女は、ここ数年、数カ月に一度の頻度でオルグレイン王国の王城にやってきているらしい。他の侍女の話によると、レイカは幼い頃からのライナスの許嫁《いいなずけ》ということだ。

だが、レイカの相手をするのはほとんどがアレクシスで、ライナスは最初と最後に顔を見せるくらいだった。

（……気づいているのかしら）

聡いライナスならば、きっと気がついているはずだ。アレクシスがレイカに想いを寄せていることを。

ライナスがレイカと話すたび、隣にいるアレクシスが威嚇《いかく》するように睨《にら》んでいるのをよく見る。レイカはまったく気がついた様子はないが、ライナスはそんな弟の気持ちに気づいていて、からかっているように見えた。

しかし、国同士の約束事を反故《ほご》にするのはなかなか難しいはずだ。相手が第一王子と第二王子の違いでも、そこに大きな意味を見出す者も確かにいるだろう。

このまま、微笑ましい光景を見続けることができるのだろうか——そこまで考えて、セルマは軽く首を振った。自分は単なる王妃付きの侍女で、王族間の結婚に関して意見など言える立場ではないのだ。

「ああ、やっぱりここにいた」

そこへ、今考えていた存在、ライナスが姿を現した。

「ライナス、レイカ姫のお相手は？」

「アレクに任せていますよ」

「まあ」

「大丈夫。ああ見えて二人は仲が良いですから、ね」

同意を求める視線を向けられ、セルマは苦笑しながら頷くしかない。

「アレクシスさまも立派にお相手をなさるでしょうけど、姫さまはライナスさまともお話しされたいのではないですか？」

「私と？」

「ええ」

セルマはしっかりと頷くが、ライナスは曖昧な笑みを浮かべて肩を竦《すく》めるだけだ。

二歳年下だが、ライナスは大人びている。王や臣下と渡り合う時は惚れ惚れするほど立派で眩《まぶ》しいくらいだ。そのくせ、セルマと話す時は時々悪戯っぽい表情を見せてくる。

結局、飄々《ひょうひょう》としている彼の真意はセルマにはわからなかった。

「ライナスさまもお茶をいかがですか？」

「ありがとう」

ふっと息を吐いたその横顔に疲れが見えた。

「お疲れですか？」

「いや、大丈夫だよ」

「……」

(私には弱みを見せてくれてもいいのに)

単なる侍女の一人だが、ライナスが十五の時から見知っている仲だ。彼がどんなに大人びていても、自分より年下だということもわかっている。

「ライナスさま」

セルマはその場に跪き、ライナスの顔を覗き込んだ。

「お休みになりませんか？」

「セルマ」

「よかったら、子守唄でも歌いましょうか？ あまり深刻にならないように言えば、ライナスが楽しげに笑う。

「膝枕もしてくれる？」

「お望みならば。ですが、シャルロットさまの御用があれば、そのまま膝から頭を落としてしまいますよ」

「ははっ」

今度こそライナスは声を上げて笑った。そうすると、さっきまで見えていた疲労の色が一瞬で消えたように見えた。

「母上、私が眠っている間は、セルマに用を言いつけないでください」

「そうね、あなたが安心して眠れるように」

自分たちの会話を微笑んで聞いていたシャルロットがそう言って、今の話は終《しま》いになった。結局、ライナスを休ませることはできなかったが、少しくらいは気分転換にはなったかもしれない。

三人で茶を飲み終えると、ライナスは礼を言って立ち上がった。今から陳情《ちんじょう》に来る者たちとの謁見《えっけん》があるらしい。

「……大変ですね、ライナスさま」

セルマの呟きに、シャルロットも気遣う眼差しをその背に向けた。

「王が期待なさっておいでだから……」

シャルロットも、まだ王が指名していないので口にしないが、周りは暗黙のうちにライナスを次期王にと期待を募らせている。その期待が、彼の重荷にならなければよいと願うが、セルマの思いなど大きな力の前では何の効力も持たないだろう。

何か自分にできることがあればと思うセルマだったが――

「え？」

「膝枕」

翌日の昼過ぎ、来客中のシャルロットの部屋を片付けていたセルマは、にこやかに言うライナスを呆れて見つめた。

「西の庭園に良い木陰があったんだ。行こう？」

「で、でも」

「母上のお喋りはまだ長いよ」

手を引かれ、足早に廊下を歩く。シャルロットの侍女であるセルマとライナスが一緒にいても不審に思う者はいないらしく、むしろ微笑ましいという眼差しを向けられてしまい、セルマはライナスの意向通り、木陰で彼に膝枕をすることになってしまった。

「……良い風だね」

「え、ええ」

頭はセルマの膝に乗っているというものの、身体は草の上だ。服が汚れてしまわないかと心配になったが、ライナスはまったく気にしていないらしい。

「アレクは、今日もレイカ姫と一緒なんだ」

そう告げる声には何の意図も感じられない。

「……ライナスさま」

「ん？」

「姫さまは、ライナスさまの許嫁でいらっしゃるんでしょう？」

「そうだね」

「……」

しかし、今の状態では、まるでアレクシスの方がレイカの許嫁に見えてしまう。

「セルマ」

「はい」

「私はね、あの二人を見ていると微笑ましくてならないんだ。アレクのことはとても可愛いし、そんなアレクが一生懸命思いをぶつけているレイカ姫のことも可愛いと思っているよ」

ライナス自身はレイカ姫に恋愛感情はないのだろうか。

そう尋ねようとして、やめた。そこまでセルマが踏み込むことはできない。

「確かに、お二方とも可愛らしいですものね」

「特に、アレクの…くっ、あいつ、あれで自分の気持ちは誰にも知られていないと思って

いるんだよ」

「まあ……」

恋愛感情にそこまで詳しくないセルマにさえ、アレクシスのレイカへの想いはあからさまなのに、本当に知られていないと思っているのだろうか。

しかし、考えれば他人の思惑など一切意に介さないアレクシスならばありえそうだ。

「今度一緒にからかおうよ」

「それはさすがに可哀想ですよ、ライナスさま」

今はそっと見守ってやっていた方がいい。結婚の話は確かに避けられないことだが、それでも今の二人にそれを突きつけるのは可哀想だ。

「セルマがそう言うなら、やめておこうかな」

「そうして差し上げてください」

笑みを含んだ声で言うと、それからしばらく経ってライナスは本当に眠り始めた。

(……やっぱり、お疲れみたい……)

成人王族として、王の手助けをしているライナスは多忙だ。もちろん、アレクシスが何もしていないわけではないし、大国ゆえ有能な人材も多いが、人の上に立つ資質を持つ者はごく限られている。

セルマはそっと手を伸ばし、ライナスの額に掛かった髪を軽く撫でた。

アレクシスの容貌が際立って整っているので目立たないが、ライナスも十分男らしく整った容貌をしている。綺麗な金髪も、優しい眼差しも、初めて会った時から変わっていないが、確実に大人の男へと変化していた。

「……結婚して、子供ができて……王さまになってしまうのかしら……」

そうなれば、もうこんな時間を共にすごすことはなくなってしまう。

寂しいと思う方が不敬だというのに、セルマはあともう少しだけ、そんな時間が先に延びてくれたらいいなと思っていた。


そんなある日、セルマはシャルロットの来客の席に呼ばれた。

「失礼します」

シャルロットの向かいに座っているのは、一人の男だった。確か王城内で何度かすれ違ったことがあるような気がしたが、顔は何となく覚えていても名前までは知らない相手だった。

「セルマ、こちらに」

シャルロットが誘った場所は彼女の隣だ。しかし、侍女の自分が座るような場所ではない。

セルマが戸惑っていると、シャルロットにもう一度誘われ、落ち着かない気分になりながらそっと椅子に腰を下ろした。

「こちら、ヴァスカンさま。貴族で、議会で議員をなさっているの」

「何度か会ったことがあるんだけど……覚えているかな？」

そう言われて、どう返答していいのかわからないセルマは曖昧な笑みを浮かべる。

「それで、ぜひあなたを紹介してほしいとおっしゃって」

「え？」

それはどういうことだろうか。

セルマが問うようにシャルロットを見ると、彼女は少し困ったような笑みを浮かべた。

「あなたを、妻に迎えたいとおっしゃっているの」

「！」

驚いたように目の前の男に視線を向けると、彼もシャルロットの言葉を肯定するように頷いて言った。

「ぜひにと、王妃にお願いしました」

「あ、あの、私は」

「君がフレイン卿と死別したことはもちろん知っている。私も、少し前に妻と別れたばかりだ。必ず幸せにすると誓うので、どうか頷いてくれないだろうか」

「シャ、シャルロットさま」

まったく想像もしていなかった話に、セルマはどう反応していいのかもわからなかった。

フレインと結婚して、彼の死を見送って、自分はもう誰とも添い遂げるつもりはなかった。

あの家から連れ出してくれたフレインに、このままずっと思いを寄せ続けるつもりだったのだ。

これが、他の人間の紹介だったら即座に断っていた。今なら、両親に見合いを勧められても断れるほど強くなったと思う。

しかし、世話になっているシャルロットの申し出を、むげに断ることは難しかった。

「私……」

「子供はいるが、皆大人しい。優しい君にすぐに懐いてくれると思う」

男は身を乗り出すようにしてセルマをかき口説く。

「セルマ、すぐに返事をしなくても、よく考えてみたらどうかしら。エルバートが亡くなって二年、あなたはよく操《みさお》を立ててくれたわ。彼もきっと、あなたの新しい幸せを望んでいるはずよ」

二人に交互に言われて、セルマは断る言葉を失ってしまった。

セルマが求婚されたことは、見る間に王城内に広まった。それは、ライナスも例外ではなかったらしい。

「セルマ」

翌日、シャルロットの部屋に向かおうとしたセルマは、ライナスに呼ばれて足を止めた。

いつもは優しく笑んでいる彼の目が、今日はどこか冷たい。

「話があるんだけれど」

「あの、今」

「母上には連絡をしておく」

そう言ったライナスは、セルマを自室に連れ込んだ。

昔何度か足を踏み入れたことはあったが、最近はライナスの立場も考えて、あえて人がいない場所で二人きりで会うことは避けるようにしていた。先日の膝枕の時もできれば断ろうとしたが、あれは屋外だったせいで辛うじて許容したくらいだ。

本人はあまり気のりしていないようだが、レイカという許嫁もいる。たとえ彼女と結婚しなくても、年頃の彼におかしな噂が流れてはいけない。

「ライナスさま」

いったい、話は何だろう。

早く終わらせなければと焦るセルマとは対照的に、ライナスは見下ろし、威嚇するような低い声で話を切り出した。

「求婚されたと聞いたけど？」

「あ……」

まさか彼からそのことを言い出すとは思わず、セルマは驚きに小さく声を上げた。

「事実だということか」

セルマの表情を読み取ったライナスは、眉間に皺を寄せる。

「もちろん、断ったよね？」

「い、いえ、あの」

「まさか、受け入れた？」

掴まれた肩が痛い。ライナスが怒っているのは雰囲気でわかるが、その怒りをどう逃していいのかセルマはわからなかった。

初めて向けられるライナスの怒りが怖かった。同時に、視線だけで威圧してくる彼が人を支配する側の人間だということを、改めて思い知る。

「シャルロットさまからの、お話で」

「母上からの話だから断れない？」

図星をつかれて口を噤《つぐ》んだセルマの耳に、舌を打つ音が聞こえた。

「……受けるつもり？」

「……いいえ、お断りしようと……」

「断るんだ？」

急に、ライナスの声の調子が変化した。戸惑うほどあっという間の変わりように、セルマの胸の中がざわめき始めた。

「でも、何と言っていいのか……」

「ああ、断りの文句だね？　それならばこう言ったらいい。『第一王子のお手がついているからです』」

どこか楽しげに言うライナスに、セルマは慌てて大きくかぶりを振る。

「そんな嘘をついてしまったら、あなたの名誉が傷ついてしまいます」

「私の名誉より、セルマがいつまでもこのことで悩んでいる方が心臓に悪い。いいね、セルマ、そう言って先方に断りを入れてくれるね？」

いくらライナスがセルマのことを考えて提案してくれていても、まさか断りの文句に王子の名前を出せるはずがない。そうでなくても賢王子と名高いライナスの名誉を、まったく身に覚えのない色恋沙汰で落とすなんてあってはならないことだ。

「ライナスさま、このことは私自身がきちんと考えます。ですからどうか、馬鹿なことはおっしゃらないでください」

「私は本気だよ」

「それでも、駄目です。いいですね、そのことは二度と口になさらないでください」

少し怒ったように言った後、言い過ぎかと一瞬唇を噛みしめる。しかし、ライナスは不機嫌になるどころか、嬉しげな表情をしていた。

「セルマに叱られるなんて久しぶりだな」

「話を逸らさないでくださいっ」

「わかった」

両手を上げ、まるで降参だとでもいうように頷いてくれたライナスに、セルマはようやく安堵した。ライナスも落ち着いて考えたら、自分が言ったことがどんなに馬鹿なことかわかってくれるはずだ。

(私が、流されそうになったから)

ライナスは、フレインと共にいたセルマのことをずっと見てきた。そんなセルマがフレインを裏切って別の男と結婚することが許せないと感じたのだろう。

自分の問題は自分で解決しなければ。

そう心に強く決めたのに、数日後、王城の廊下でばったりとヴァスカンに会った時、彼は苦々しい笑みを浮かべながらセルマに言った。

「驚いたよ、まさか君がそんな……」

「え？」

「いずれライナス王子も結婚されるし、今すぐに関係を清算した方が利口だと思うが、どうやら王子の方が君に執着をしているようだし。変な敵意を向けられたくないしね」

ヴァスカンの口から出る言葉は、セルマにはまったく身に覚えのないことばかりだ。

「あ、あの、それって何のお話ですか？」

「もう隠さなくてもいいよ。王子のお手つきなんて堂々と言える話でもないけれど、それならばあの場で断ってほしかったな」

言うだけ言うと、ヴァスカンは足早に立ち去った。

後に残されたセルマは、今の話を頭の中で整理するのに時間がかかってしまい、ようやく何を言われたのか理解して愕然としてしまった。

「王子の……お手つき?」

(でも、それは断って……)

セルマはそんな嘘は言えないと、ちゃんと断ったはずだ。それで話は終わったと、セルマ自身は考えていた。

だが——。

セルマは身をひるがえした。

向かう先はシャルロットの部屋ではなく、ライナスの部屋だった。

＊　＊　＊

「ライナスさま!」

扉を叩くと同時に部屋の中に飛び込んできたセルマの姿を見て、ライナスは思わず笑ってしまった。

(可愛いな)

セルマはレイカのことを可愛いというが、ライナスの目にはセルマこそとても愛らしく映っていた。

フレインと暮らしている時は、その年齢差を埋めるためかセルマは服も髪型も落ち着いた雰囲気だった。背中まで伸ばしていた髪は編み込むことが多かったし、表情だってどこかすましていたと思う。

しかし、王城に上がると同時に、セルマは思い切りよく髪を切ってしまった。侍女として働くのなら、長い髪は仕事の邪魔になると言っていた。肩より短い髪を揺らしながら動く彼女は、本人の意図とは反して少女めいた雰囲気で、今では少しだけ伸びた髪を綺麗に結っているその姿は、十七歳から七年も年をとったようにはとても見えなかった。

細い肩も、片手で回る手首も、華奢な身体も、何より優しく笑むその表情は子供のように無垢だ。あの頃から、その心根は今もまったく変わっていない。

「何？」

「い、今っ、ヴァスカンさまにお会いしてっ、わ、私とあなたが、そのっ」

慌てているのか、そのものずばりを口にするのが怖いのか、セルマはなかなか次の言葉を発しない。

しかたなくライナスは椅子から立ち上がると、入口に立ち尽くすセルマに歩み寄ってにっこりと笑いかけた。

「彼、ちゃんとわかってくれたでしょう？」

「……どうして、あんな……」

「言わなかった？　私の名前を出して断ってくれていいって。セルマがなかなか返事をしないから、彼、周りに君との結婚の話を吹聴《ふいちょう》し始めたんだよ。噂が現実になってしまう前に、私が手を打っただけ」

そう話してわかってくれたと思っていたのに、いまもってセルマが断りを告げていないと知った時、ライナスの胸に走ったのはどんな感情だったか。

優しさと優柔不断さは紙一重だ。

だが、母を恩人と慕うセルマに明確な返答ができないのはわかっていた。だからこそ、自分が動いて何が悪いのかと、かえって開き直ることができた。

セルマはじっとライナスを見つめた後、視線を逸らして大きな溜め息をつく。

「……ごめんなさい」

まさか謝罪されるとは予想外で、ライナスはセルマの肩に伸ばそうとした手を止めた。

「あなたを悪者にしてしまって……」

「悪者？」

「あなたが権力をかさに無理を強いるなんてありえないのに……結局、私があなたの名誉を傷つけてしまったなんて……」

「セルマ」

（ちがう、これは私が勝手にしたことだ）

セルマには何の責もないのだと言おうとしたライナスは——口を噤んだ。

このままセルマが罪悪感を抱いていれば、彼女が他の男のもとへ行くなど絶対にないだろう。たとえ王である父が勧め、またとない良い話があったとしても、責任感の強いセルマは自分の側から離れない。

（……ごめんね、セルマ）

　こんなにも心の中に入り込んでしまったから、離せなくなってしまったのだ。

　飛び込んできた時の勢いがなくなってしまったセルマの腰をそっと抱いて、ライナスは椅子に座らせる。

「しばらくは静かだろうけど」

「……今度同じようなお話があっても、私がきちんとお断りします」

　その答えに満足したライナスだったが、ふと気になっていたことを尋ねてみた。

「まだフレイン殿のことを慕っている？」

　冗談めかして尋ねたが、それはライナスが一番知りたくて、なかなか口に出せないことだった。

「セルマ」

「……まだ、ここに生きていらっしゃいます」

「生きている……ね」

　胸を押さえて呟くセルマの横顔は、どこか憂《うれ》いを含んでいる。お互い思い合っている仲で突然引き裂かれてしまったせいか、セルマの中ではフレインはとても綺麗な思い出になっているのだ。

（……もう、側にいないのに？）

今回だって、側にいて守ってもくれない相手を、いつまで思うつもりなのか。誠実なセルマのことを好ましく思っているくせに、こればかりはどうしようもなくて苛立った。

セルマにとっては災難だったかもしれないが、今回の話はライナスにとって良い機会だった。

どこからも不満の声が上がらないように、周到に手回しをする決意が固まった。当然、レイカとの関係もきっちりかたをつける。

内心何を考えているのかわからせないまま、ライナスはまず、自分とセルマの関係を王城の中でさらに広める手筈を整えた。統制がとれているとはいえ、高貴な身分の人間の醜聞は蜜の味らしい。

瞬く間に広がっていったそれは、王城の誰もが知るところとなってしまった。それでも身近なところでは、広めた当人のライナス以外、両親やアレクシス、そしてセルマの耳にはなかなか届かなかったようだが。

「ライナス」

母に呼び出された時はようやく伝わったかと、思わず安堵の息をついたものだ。

「何の用ですか、母上」

父もいるかと思ったが、席についていたのは母だけだった。

「……」

母はなかなか切り出さず、じっとライナスの顔を見ている。母の耳にはどんなふうに噂が伝わったのか興味があり、ライナスは自分の方から誘いをかけた。

「久しぶりにお小言ですか？」

すると、母は切れ長の目を吊り上げる。

「わかっていますね？」

「何をです？」

「噂のことです」

「噂？」

「……あなたが、セルマを手籠《てご》めにし、弄《もてあそ》んでいるという噂です」

「弄んでいる……？」

ライナスとしては、可愛がっているという意味の方が良かったが、母にとっては噂そのものが問題らしい。

「少し前から耳に入っていましたが、きっと仲の良いあなたたちを誤解したものだと思っていました。根も葉もない噂はすぐに消えるだろうと。ですが、それはどんどん酷くなっていってしまって……」

「私は悪人ですね」

セルマが、王子を誑《たぶら》かす悪女と言われないようにしていたからこれは予測の範囲内だ。

「あくまでも、噂ですね？」

母は念を押してくる。

「あなたにはレイカ姫という許嫁がいるし、セルマはわたくしたちを裏切るような娘ではありません」

だからこそ、セルマ攻略は厄介なのだと言いたかったが、ここでそんなことを言えばさらに咎められてしまうに違いない。

それに。

「レイカ姫とのことは、私でなくても構わないと思いますが」

「何を言うの？」

「母上、母上はアレクとレイカ姫が似合いだと思いませんか？　私はもうずっと、レイカ姫のことを恋愛対象として見たことはありません」

それまでのらりくらりと避けていたことを、ライナスはここではっきりと告げた。母も、薄々気づいていたことをここまできっぱりと言い切られて言葉も出ないらしい。

「セルマとのことは、私が責任をきちんととります。どうかご心配のないように」

「ライナス」

「まだ何か？」

わざとらしくにっこり笑うと、母は少し間をおいて大きな溜め息をついた。

「あなたがそんなにも捻《ひね》くれ者だとは初めて知りました」

「そうですか？　意外にわかりやすいと思いますが」

様々なものを隠れ蓑《みの》にしているが、ライナスの自我はとても単純だ。自分が大切に思う者を全力で守り、ほしいと思う者をどんな手段を用いてでも手に入れる。

こんな感情を向けられた相手は気の毒だが、母が言う通り捻くれ者なのだからしかたがない。

「セルマも、噂を聞いていますよ」

「母上に何か？」

「謝罪されました。すべて己の不用意な行動のせいだと」

「……」

「このままでは、城を出て行くかもしれません」

そう言った母が、ライナスの表情を探るような眼差しを向けてきたが、セルマの言動もある程度予測がついていたライナスに動揺はなかった。誠実で、母を慕っているセルマは、たとえ噂であったとしてもライナスを貶めるようなことを言われて何も思わないはずがない。

ライナスは、そんなセルマの心根が好ましいのだ。

「ライナス、すべてが己の思い通りになると思ってはいけませんよ」

「肝に銘じまして」

母はこれで少しはライナスが行動を改めると思うかもしれないが、待ちに待ってようやく好機に恵まれたのだ。

立ち止まるはずがない。

ここで一気に、セルマとの関係を進めるつもりだ。。

「兄上」

母の部屋を出て廊下を歩いていると、アレクシスに会った。

「アレク」

「兄上？」

レイカが側にいないアレクシスは、あからさまに人を寄せ付けない雰囲気になっている。

もちろん、兄であるライナスは気にならないが、周囲がピリピリとした空気だというのは誰が見てもわかっていた。

「お前……」

アレクシスは噂のことを知っているのか、ふと気になってしまった。名前は出ていないが、レイカにも関係あることだからだ。

「知っているか？」

「何を？」

「噂のこと」

「噂？」

その表情に、アレクシスの耳にはまだ噂が届いていないことがわかり、ライナスは思わず安堵してしまった。これはアレクシスが鈍感というわけではなく、単に興味がないことに気を引かれないからだ。

潔《いさぎよ》いほど、《レイカしか目に入らない》アレクシスが微笑ましい。

「いや、いい」

ほとんど目線が変わらない弟の頭を軽く撫でると、気恥ずかしそうに眉間に皺を寄せた。

体格は自分と変わらなくても、やはり弟は弟だ。

「兄上、もしかして何かあったんじゃ……」

「いや」

アレクシスに心配はかけられないと、ライナスは何も言わずに歩き出す。そんな自分の背をじっと見つめる強い視線は、いつまでも感じた。

(あれのことも考えないといけないな)

あまり不安にさせては可哀想だ。自分がレイカには何の興味もなく、許嫁の約束も守るつもりはないと早く伝えてやりたい。

その前に。

「まずは、セルマだ」

弟以上に己の心を揺り動かす存在を早く手に入れなければ、他のことなど考えられない。

早まった行動をとられてしまう前に、ライナスはセルマの姿を探した。

第三章

セルマは部屋の中で私物の整理をしていた。

この後、シャルロットに会って暇をもらうつもりだ。

(こんなことになってしまうなんて……)

ここ数日、何度同じことを考えただろうか。

セルマのためにライナスが嘘を言ったのはヴァスカンだけのはずで、貴族としての矜持もあるだろう彼が、そんなことを他言するなどと思いもしなかった。

しかし、生まれてしまった嘘はいつの間にか王城の中を駆け巡り、さらに酷い内容になってセルマの耳に届いた。

「お手当、もらっているの?」

他の侍女に耳打ちをされた時、初めはそれがどういう意味なのかまったくわからなかったが、その後にも色んな相手から揶揄《やゆ》され、どういう意味なのかを知ることになる。

そして、愕然としてしまった。

自分が悪く言われるならいいが、ライナスの人格まで否定するような噂は耳を塞《ふさ》ぎたくなるようなものだったし、ここにきてセルマが何を言っても言い訳になってしまう状況なのだと悟った。

そうなってしまえば、セルマは、ライナスの前から、この王城から立ち去ることしかなかった。

「……ライナスさまに、お詫びを……」

（今更、かも）

さすがに、王子であるライナスに面と向かって不敬なことを言う人間はいないと信じたい。だが、ここまで噂が広まっているのだから、彼の耳にもすぐに入ることになるだろう。

セルマは部屋の中を見渡した。

フレインが亡くなって以降二年間、ここでセルマは静かで穏やかな時間を過ごした。働くことは楽しかったし、時折シャルロットと亡きフレインの思い出を話すのも楽しかった。

今考えてみれば、とても恵まれた生活だった。

（私は、守られていたんだわ）

すべての遺産を放棄し、逃げるようにフレインの屋敷から去った自分を、両親が捜さなかったはずがない。きっとそれを遮《さえぎ》ってくれたのがシャルロットであり、ライナスだったはずだ。

何の恩返しもできず、反対に醜聞を広めてしまう結果になってしまったことを悔やむが、今のセルマにできることは王城から出ること以外何もない。

シャルロットは部屋にいるはずだ。時間を割《さ》いてもらって、きちんと挨拶をしなければ。せめて、ライナスに何の責もないことは信じてもらいたい。

「……ここを出て行くのは寂しいけれど……」

「出て行かなければいいのに」

「！」

突然聞こえてきた声に驚いたセルマは、弾けたように顔を上げる。いつの間にか開いていた扉に、背を預けるようにしてライナスが立っていた。

「ライナスさま……」

扉が開いたことにまったく気づかなかったことももちろんだが、それ以上にここにライナスがいるということにどうしようもなく動揺する。

いつものようにさりげなく挨拶すればいいのに、今自分がしようとしていたことを思うとなかなか声も出てこなかった。

そんなセルマの様子をしばらくじっと見ていたライナスが、大きな息をつくのがわかる。それは怒りを抑えているというよりも、しかたがないと呆れられているようで、なんだか無性に恥ずかしくなった。

「セルマ」

「……」

声も、怒っているふうには感じない。それでも、ライナスがわざわざここに来る意味は一つしかなく、セルマは前に置いていた荷物をどけると床に膝をついて頭を下げた。

「申し訳ありません」

「……何が？」

「……ライナスさまに、不名誉な噂を……」

「それは私が言い出したことだ。セルマには何の責任もない」

「でも」

そもそも、自分が受けるつもりのない結婚の話をなかなか断ることができなかったせいで、ライナスが助けてくれようとしただけだ。責任の大きさを考えれば、自分の方が大きいという自覚があった。

「このまま私が王城に留まれば、ますます噂が悪質なものになってしまうかもしれません。ライナスさまはこの国の大切な王子、私などのために悪者になってしまうなんて、絶対にあってはいけないんです」

セルマは一気にそう言った。心の中にあった少しの迷いは、ライナスに会ったことで反対に消え、残ったのは一刻も早くここを出ようという決意だ。

しかし、黙ってセルマの言葉を聞いていたライナスが近づいてくる気配を感じ、無意識のうちに身体を後ろに反らしてしまう。

「あ……っ」

その拍子に体勢を崩してしまったセルマの身体をとっさに抱き留めてくれたライナスは、真正面から顔を覗き込んできた。

こんなふうに間近で顔を見るのなんて、いつぶりだろうか。立派になったと常日頃から思っていたはずなのに、妙に艶めいた男の眼差しを向けられると落ち着かない。

父に引き取られてからは学校以外屋敷から出ることはなかったし、十七歳でフレインに嫁いでからも、彼以外の男性と関わり合うことなどなかった。彼が亡くなってすぐに王城に上がったので、それからも男性と深い仲になるなどありえなかったのだ。

そんな中で、ライナスの存在は特別だ。

少年のころから知り合いで、恩人でもあるシャルロットの息子で。そのうえ、この国の王子さまだが、セルマにとっては一番近い異性でもある。

そんな彼と、色恋沙汰の噂をされるというのは、どこかで自分の態度が慣れ合ったものになっていたのかもしれないと、セルマは今更ながら強くライナスを意識してしまった。

そうなると、こんなふうにライナスに抱きとめられている体勢は気になってしかたがない。

「す、すみません」

そう言いながらセルマは身体を離そうとしたが、なぜか腰を抱く手の力は強まった。

「ラ、ライナスさま？」

「セルマ、私はこの噂を否定するつもりはないよ」

「え」

「私がセルマを欲しいと思っているのは事実だから」

「！」

ライナスはそのままセルマの身体を抱き上げると、奥のベッドに下ろしてくれる。だが、彼は離れることなく自らも身体を乗り上げ、仰向けになっているセルマに顔を近づけながらにっこりと笑った。

ライナスの顔は見慣れているはずなのに、こんなに近くで見てしまうとまるで知らない男の人に見えた。

「ご、ご冗談は……」

「私の言葉を冗談だと思うんだ？　だったら」

次の瞬間、さらにライナスの顔が近づいたかと思うと、唇に何かが触れた。

「んっ」

触れるだけだったそれは一度離れ、しかしすぐにまた触れてきた。

（こ、これっ）

くちづけをされている。それも、相手はライナスだ。

フレインとのたった一度のくちづけの感触をまるですべて塗り替えるように、何度も何度も角度を変えながら唇は重なる。セルマは圧し掛かる身体を押し返そうと胸に手を当てるものの力が入らず、さらには唇を舌で舐められてしまい、真っ白だった頭に急に血が上って、頬が燃えるほど熱くなった。

腕の中のセルマの熱に気づいたのか、ライナスがようやく離れた。目の前の彼の唇が濡れているのが見えてしまい、セルマはぎこちなく視線を逸らす。

「フレイン殿とも、した？」

それが、今の行為だということは嫌でもわかる。

「セルマ」

促すように名前を呼ばれて、セルマは無意識に首を横に振った。

「旦那さまは、こんなこと……」

「そう」

その途端、妙に嬉しげにライナスは笑む。

「こんなくちづけをしたの、私が初めてなんだ？」

「ラ、ライナスさま、どうして……」

「言っただろう？　私はセルマが欲しいんだって」

確かに、そんなことを言われたが、それがどうしてこの行為に繋がるのだろうか。

セルマの疑問を読み取ったのか、ライナスが手を伸ばしてきた。その指が、まるで確かめるようにセルマの唇を撫でる。

「セルマがフレイン殿と結婚して良かったよ。君が綺麗なままここにいる」

「あ……」

唇に触れた指はそのまま顎を滑り、首筋を撫でられて首を竦めた。

「私が大人になって、こうしてセルマを抱けるのが嬉しい」

「だ、抱く?」

「いや?」

嫌だとか、いいとか、そんな問題ではない。この状況をどうにかしたいのに、セルマの身体はまったく自由に動いてくれなかった。

(お、落ち着かなくちゃ)

自分の方が年上で、本来ならライナスの無茶な要求を笑ってかわさなければならない。それなのに——。

「……私が王子だから、駄目?」

「だ、駄目、とか」

ライナスに非があるわけではなく、あくまでもセルマの方が身分不相応なのだ。

それに、今ここにいるライナスは知っているはずの彼とは違い過ぎて、意味もなく怖く感じる。断りの言葉も言い訳も言えないまま、ただ緩く首を振り続けていると、じっと見下ろしているライナスが目を細めた。

その瞬間、わけのわからない戦慄《せんりつ》が背筋を走る。

「……じゃあ、こうしようか」

身を起こしたライナスは上着を脱ぎ捨てた。

「王族には、昔から閨《ねや》の教育係がいる。だから、私の閨の教育を、セルマがしてくれないか？」

「！」

（で、できるはずがない……っ）

くちづけもままならない自分が、そんな大役を果たせるわけがない。いや、その前に、閨の作法などまったくわからないのだ。

「セルマ」

セルマの戸惑いなどわかり過ぎるほどわかっているくせに、この時ばかりはライナスは何も知らない子供のように笑った。

「教えてよ？」

どうなっているのだろうか。

セルマはライナスの服を脱がせている今の状況をはっきり呑《の》み込めなかった。

ただ、耳に残っているのは、

「閨の教育係だったと知れば、皆私たちの関係をこれ以上おかしな目で見ることはなくなるよ」

そんな言葉だった。

それでも、ライナスがセルマを手籠めにしたと思われるよりも、セルマがライナスに閨の手ほどきをしたと思われる方がよほど良いと思った。自分がどれほど卑しい女に思われようと、ライナスの名誉が保たれるならば。

それに。

(このまま、ここにいられる……?)

出て行く覚悟をしたといっても、本当は王城での生活を手放したくなかった。優しいシャルロットの世話をすることに喜びを感じていたし、ライナスとの何気ない会話も気持ちを穏やかにしてくれた。

そんな二人がいるこの場所を離れてどこかに行くといっても、実際どこに行っていいのかまるで当てはないのだ。

「次は?」

何とか上着を脱がすと、ライナスはさらに促すように言う。

「……シャツも、私が?」

「脱がしてくれたら嬉しいけど」

ずるい言い方だとは思ったが、セルマは思い切って釦《ボタン》を外し始めた。

何も知らない、できるわけがない。そんな言い訳は、ライナスの提案を受け入れた時点で意味はなくなった。

とにかく、服を脱がせばいいと、セルマは釦をすべて外してシャツを脱がせた。

「！」

現れたのは、逞《たくま》しく鍛えられた男の身体だ。当たり前だが初めて見る男の姿に慌てて目を伏せると、頭上で笑う気配がした。

「少しは大人になっただろう？」

――確かに、初めて会った時の十五歳のライナスには子供らしさが残っていたが、それから成長していく彼をしっかりと見ていたはずだった。背もどんどん伸び、手足も長くなって、声も低く落ち着いたものになった。

しかし、こんなふうに立派な大人の男の人になっていたなんて、こうして目の当たりにするまで実感としてなかった。

自分との噂を聞いた時でさえ、生々しい想像はしなかったのだ。

セルマが自分の気持ちに戸惑っている間に、ライナスもセルマの服を脱がし始めていた。さすがに肌着になった時、慌ててライナスの手を止める。ライナスは無理に先に進むことはないが、じっと見つめられるとセルマの方が落ち着かない気分になってしまった。

「ラ、ライナスさま、私やっぱり……」

これ以上進むのはやめよう。そう言おうとしたセルマの言葉にかぶせるようにライナスが言う。

「ここで、焦らすんだね」

「え……」

「じっと見ているのも楽しいけど、早く君の肌に触れたいな」

耳元に唇を寄せられ、軽く耳を舐められた。ぴちゃっという水音が耳に響いて首を竦めると、ライナスの指は再び動き始める。セルマの意識は耳を舐める舌に向けられていて、下着姿にされたのに気がついた時には、身体から力が抜けてしまっていた。

見下ろしてくるライナスの目の中には、熱のようなものが見える。いつも穏やかに微笑む彼の姿しか知らないセルマにとって、欲情を露わにした男の顔を見せるライナスはまったく知らない人間のようだ。

「綺麗だね」

「……っ」

感嘆するように言われ、セルマははっと身体を隠そうと身をよじった。

「セルマ？」

「み、見ないでください」

「どうして？　そんなに綺麗なのに隠す必要なんてないよ」

「綺麗じゃ、ありませんっ」

世間一般では女は十代で結婚をし、二十代初めまでに子供を持つ者がほとんどだ。セルマも結婚自体は十七歳でしたものの、フレインとは事実上夫婦ではなかった。フレインはセルマをとても大切にしてくれたが、それはどこか娘に向けるような穏やかなもので、激しい肉欲は一切なかった。

だから、セルマは二十四歳の今まで、一度も男性と身体を重ねていない。自分の身体が男性にどう見えるのかまったくわからないし、その上ライナスより二歳も年上なのだ。よくよく見られてしまったら、絶対に失望されると思った。

下着は絶対に脱ぎたくない。頑なに思いながら胸元を必死に抑えていると、その手の上にライナスの手が重なった。

「旦那さまにも、そんな冗談を言われたけれど、それは単に私が若かっただけでっ」

「……フレイン殿も言ったんだ」

少しだけ、ライナスの雰囲気が変わった。不安になったセルマがおずおずとその顔を見上げると、ライナスは目を細めて笑う。

「私の目には、誰よりも今のセルマが綺麗に見える」

「ラ、ライナスさま」

「だから、ちゃんと見せてほしいんだ……駄目？」

こんな時に限ってそんな言い方をするなんて狡《ずる》いと訴えたいのに、囁くようなライナスの声はセルマの羞恥を麻痺《まひ》させてしまい、ライナスが少し指に力を入れただけで、頑なだったはずの手は離れる。

そして、はらりと下着を脱がされ、セルマはとうとうライナスの面前に素肌を晒してしまった。

「……」

「……」

「……」

(ど……して?)

ライナスは何も言ってくれない。だが、痛いほどの視線は肌に突き刺さっている。

「わ、私、おかしい?」

「え?」

「どこか、変、とか?」

肌の色とか、胸の形とか。もしかしたら、太っているのかもしれない。ここにきて隠しても遅すぎるが、セルマはそろそろと両手を持ち上げようとした。

「あっ」

しかし、その前にライナスが手を掴んだ。

「隠さないで」

「で、でも」

「本当にセルマを抱けるんだと思って感動していたんだ。不安にさせて、ごめんね」

セルマが何を考えているのかちゃんとわかっていたらしいライナスはそう言って、謝罪するように頬に唇を寄せる。それが目元に、唇にと、何度も降り注がれると、セルマもその気持ちを受け入れるしかなかった。

その間にもライナスはくちづけをやめないまま、手を乳房に滑らせてくる。初めは形を確かめるように動かされ、次にはしっかりと揉みこまれて、

「あ、んっ」

自分でも信じられないほど甘い声を上げてしまった。

「やっ」

乳首を揉まれると、痛みが走る。

「痛い?」

痛いというか、痛痒《いたがゆ》い感じだ。自分でも意識して触れることがないそこを、まるで慈しむように優しく触れられるのは何とも言えない気分だ。それに、痛いかと聞くライナスの手は、ちゃんとセルマのことを考えてくれているように動いているのはわかる。

「ひゃぁっ」

その時、湿った感触が肌を撫でた。慌てて視線を向けたセルマは、乳房に舌を這わすライナスを見て目を瞠《みは》る。そんなところに舌を這わせるなんて予想外だ。

(か、身体を重ねる、って)

乏しい知識ながらも、セルマも男女が身体を重ねるということがどういうことかはわかっている。ただ、それは身体の一部を重ねるという結果だけが頭の中にあって、そこに至るまでどういう行動をとるのかまったく想像できなかった。

セルマは混乱していた。羞恥と、困惑と、それ以上の焦りで、何が何だかわからない。

仮にも、ライナスに閨の作法を教えるというのが大義名分なら、ライナスに奉仕をさせるわけにはいかない。かろうじてそれだけは意識して、早く、ライナスをこの身に受け入れなければと思った。

(私の方が、ちゃんとしないとっ)

セルマはライナスの胸を押す。意外にもすぐに身を引いてくれたライナスをベッドに押し倒すようにし、今度はセルマが彼の横に座り込んだ。

「セルマ？」

少しだけ驚いたようなライナスの表情に、セルマも僅かに気持ちが落ち着く。

「……私が、します」

「君が？」

できるはずがないだろうと言いたげな視線に頷き、セルマはライナスの上半身に乗り上げた。

(くちづけ……)

目を閉じて、ライナスの唇に自分のそれを押しあてる。目測が逸れて端に当たったようで、すぐにやり直して頭の中で数を数えた。

(一、二……)

一度のくちづけの長さはどのくらいか、唇を重ねたまま微動だにしないでいると、合わさったライナスのそれが少し開き、中から覗いた舌が再び唇を舐めてきた。

「！」

反射的に唇を離すと、仰向けのライナスが笑いながら言う。

「セルマも口を開いて」

「わ、私も、ですか？」

片肘をついて上半身を起こしたライナスは、セルマから動くのを待つように目を閉じた。逡巡《しゅんじゅん》したが、自分からやると言い出したこともあり、セルマは言われた通り目を閉じて唇を開く。

すると、下からすくうように唇が重なってきたかと思うと同時に、口の中にライナスの舌が入ってきてしまった。

（う、嘘っ）

口を閉じようにも、すっかり口腔の中に入ってしまった舌を追い出すことは難しい。舌で押し返しても反対に絡めとられてしまい、ちゅっと吸われると変な感覚に身体が震えた。開けたままの唇から溢れそうになった唾液をライナスはすべて啜り、反対に彼の唾液が注ぎ込まれて反射的に呑み込んでしまう。

お互いの口の中で合わさった唾液を何度も交換しながら続けられるくちづけに徐々に体は熱くなるが、同時に息ができなくて、セルマは必死にライナスの肩にしがみついた。

触れるだけのくちづけなんて、本当のくちづけではなかった。こんなにも生々しいものだと、初めて知った。

「あ……ふぅ」

溢れたそれが顎を伝い、ライナスの舌が舐め上げる。その舌はそのまま首筋から胸へと下り、今度は乳首を歯で食まれてセルマは声を上げた。

「……くっ」

いつの間にかライナスは上半身を起こしていて、向かい合ったセルマのうなじから背中を手で撫でおろし、尻の丸みを強く揉んでくる。痛くはないが、下肢に急速に熱が集中してしまったように感じて、セルマはもぞっと腰を動かした。

しかし、どうやらその動きを誘っていると思ったのか、ライナスの手は無遠慮に背中から秘唇にまで伸びてきた。

「！」

びくっと震えると同時に腰を上げてしまったセルマは、そのまま足に力が入らずベッドに横たわってしまう。

(今の、え？　なに？)

今の感覚がわからず、セルマは半泣きになってライナスを見上げた。明らかに何かしたのはライナスなのだが、助けてくれるのもまた、ここにいる彼しかいないとわかっていた。

「感じたんだね」

「……感じた？」

「女性は、そこを愛されると感じるものだよ。セルマ、何も考えず、私の指だけを感じてごらん」

言葉と共に、秘唇を撫でるように指は動き出す。くちっと恥ずかしい音が耳に届くが、目で見えない場所だけにどうなっているのかまったくわからない。

セルマはライナスが言う通り、その指の動きを受け入れた。押し広げたり、こねるように動かされるその動きはだんだん激しくなって、

「んぁっ」

次の瞬間、ぐにゅっと中に押し入ってきた。

「あ……あぅっ」

(こ……れっ)

身体の中に入っているのは、間違いなくライナスの指だ。その指はきついほど締め付けているセルマの内襞を掻くように刺激してくる。

その動きを必死に拒もうとしても、ライナスの指に取り巻く自分の中が熱く熟れ、嬉しそうに纏わりつくのがわかった。擦り合う粘膜の音も激しくなってきて、中から蜜が溢れてきた。

初めてなのに、苦痛や恐怖より快感を得ようとする自分の身体が怖い。こんな淫らな反応をする自分にライナスは呆れていないかと不安に思ったが、やまないくちづけや、肌を愛撫する手の優しさに、その心配が杞憂《きゆう》だとわかって泣きたいくらい安堵した。

「セルマ」

ライナスが名前を呼ぶ。涙で潤む目を必死に向けると、彼は真っ直ぐこちらを見ていた。

「セルマの身体は、ちゃんと私の手に感じてくれているね」

「わ……たしっ」

「初めては苦痛を伴うだろうけど……できるだけ、優しくするから」

そう言ったライナスの手が脱ぎ捨てた上着を探り、やがて何かを取り出した。小さな瓶はセルマが初めて見るものだ。器用に片手で蓋を開けたライナスは、それをあろうことかセルマの下肢――今、ライナスの指が弄っている秘唇へと垂らしたのだ。

「……んっ」

冷たさに声が漏れ、次には粘ついた感触に腰が震える。

「な、何をっ」

どうしてそんなものをそんなところに使おうとするのか、わけを聞こうにも、開いた口から漏れるのは浅ましい嬌声ばかりだ。

得体の知れないものへの恐怖に泣きそうになるが、身体の中に入り込んでくる指からの痛みは明らかになくなった。

「これは、君が傷つかないようにする魔法の水だよ」

「えっ、あんっ」

「痛みはなくなった？」

「やっ、へ、変っ」

心なしか、いや、確実に指の動きは滑らかになり、粘膜のこすれる音は大きくなった。

「慣れないうちは、こういったものを使ってもおかしくないんだ」

「う、嘘っ」

「セルマに嘘はつかないよ」

楽しげに言うライナスの声に変化はない。こんなにも乱れているのが自分だけだと思うと恥ずかしくてたまらないが、押し殺すのはとても無理だ。

ふと気づけば、触れ合う下肢も布越しではなくなっていた。いつ脱いだのか、ライナスも裸身を晒してセルマの身体に覆いかぶさっていたのだ。

（……熱いっ）

腿に、熱く硬いものが触れている。それが、時折自身を愛撫するかのように上下に動いていて、セルマも無意識にライナスの背に手を回していた。

これは、ライナスの分身だ。ライナスの陰茎が感じて勃ち上がっているのだ。

この先、何をするのかセルマも本能的にわかっている。

自分ばかり感じててはいけないと、荒い息のなか必死に言葉を発した。

「……い、れて、ください」

教育係として努めを果たすため、ちゃんと、ライナスを受け入れたかった。

「セルマ……」

まさかセルマの方からそんなことを言い出すとは思わなかったのか、それまで余裕たっぷりだったライナスの声が僅かに動揺した。なんだかそれだけで、年上としての矜持が保たれた気がするのがおかしい。

「おねが……っ」

「セルマ……っ」

「は……あっ」

セルマは必死にライナスを見つめた。今自分を抱こうとする、自分を必死に欲しいと思っている男の顔を目に焼き付ける。

秘唇に熱いものが押し当てられた。息をつめると、ずぷりと奇妙な音と共に、それが中へと侵入してきた。強烈な痛みと、圧迫感。呼吸がとまりそうなほどの衝撃に開いた唇からは、声なき悲鳴が漏れたかもしれない。

「セルマ、セルマ」

動きを止めたライナスが何度も名前を呼んでくれ、腰や足を撫でてくれる。顔中に降るくちづけに応える余裕はまったくなかったが、それでもセルマは何とかライナスを受け入れようとした。

「力を抜いて……っ、うん、そう」

ライナスの声にも助けてもらい、ようやく少し身体から強張りが解ける。すると、それを待っていたかのように、それまで止まっていた挿入が開始された。

「んんっ、あぅっ、……はっ」

ずずっと内襞を掻きわけ、ライナスの陰茎はセルマの身体を犯していく。どこまで入ってくるのか、どこまで熱いのか。

セルマの呼吸に合わせ、ライナスはゆっくりと身体を沈めてくる。熱い息が肌を滑り、ライナスの興奮を教えてくれた。

「セルマ」

「あ……あっ」

「……愛してる、セルマ……ッ」

「！」

（い……ま？）

聞き間違いだろうか。

「ライ、ナ、ス、さまぁっ」

「愛してる……っ」

もう一度告げられた言葉に、驚くほど鮮やかにセルマの反応は変化した。それまで苦しさの方が強かったのに、柔らかく中が蕩《とろ》け、ライナスの陰茎に嬉しげに纏わりついているのだ。

あからさまな変化に戸惑う間もなく、ライナスがしっかりとセルマの腰を掴んで挿入を激しいものに変化させる。出し入れされるたびに響く淫猥な音に眩暈《めまい》がしそうになりながら、セルマは必死にライナスにしがみついた。

「……っ」

荒い息と、必死な眼差し。欲情した男の顔になっているライナス。揺さぶられながらその顔を見つめていたセルマは、唐突に彼の気持ちに気づいてしまった。

（私の……こと）

彼からのそれは、弟が姉を慕うような、温かで微笑ましい感情だと思っていた。セルマ自身、普段は凛々しく立派なライナスが、自分だけに甘えてくれる姿を嬉しくも思っていたくらいだ。

だが、もちろんそこに、欲情を孕《はら》んだ感情があるなどと考えもしなかった。

亡くなったフレインとも交流があったライナスが、自分を女性として見ているとは思いもよらず、気づいてしまった今でもどうしていいのかわからない。

（どうして、私をっ）

気づいてしまえば、これほどあからさまな行為はなかった。フレインが与えてくれた、包み込んでくれる優しい愛情とは違う、生々しくて激しい情熱。抱かれて初めてわかるなんて、自分がどれだけライナスに苦しい思いをさせてしまったのか、後悔と申し訳なさに胸が痛んだ。

しかし、それと同時に、自分の身体を犯す凶暴な分身と、熱を孕む眼差しに、唐突に彼を一人の男として意識してしまった。

「ああっ、はぁっ、んぅっ」

ライナスの気持ちは素直に嬉しかった。でも、自分はただの侍女でしかない。彼は王子で、レイカという許嫁もいる。ライナスの言葉が、想いが真実だったとしても――身分の違いはとても大きい。

「ああっ！」

その時、ひときわ奥を突かれて叫んだ。まるで、余計なことを考えているセルマの意識を、この生々しい行為に戻そうとでもするかのようだ。

そしてセルマも、この行為にのみ込まれ、翻弄されて、何も考えられなくなってしまった。

セルマは力の入らない足を何とか動かし、ライナスの腰に回す。彼の動きにぎこちなくでも合わせて腰を揺らせば、中を突くものの角度が変化してさらに声を上げた。

シャルロットや、王、そしてレイカに対する罪悪感は大きいが、それでもセルマは初めて与えられた今の快感を手放せない。

セルマの行動にライナスも動きを大胆に変化させる。足を抱え上げられ、大きく開くようにして結合部分が露わになり、そこを凝視されると全身に血が上った。

内襞が締め付ける動きに合わせて陰茎が打ち付けられ、そのたびに結合部分から何かが溢れる。それはセルマの尻を伝い、シーツをしとどに濡らしていた。

肌がぶつかり合う音が大きくなっていけば、セルマの声もだんだん高くなってしまう。

そして、

「！」

「あ……！」

一際奥を突かれた次の瞬間、中で何かが注ぎ込まれるのがわかった。

それは中を圧迫し、何とも言えない感覚が下肢を貫いた。

しばらく、ライナスはそのままでいたが、大きな息をついてようやく身体を離す。繋がった箇所が解けた途端、とろりとしたものが中から滲み出てくるのがわかった。

「……大丈夫？」

セルマの顔を覗き込み、ライナスが心配そうに聞いてくる。その目はまだ熱を孕んでいたが、同時にセルマを気遣う気持ちが溢れていた。

セルマは大丈夫だと伝えようとしたが、ずっと喘ぎ続けていたせいか声が枯れて出てこない。何とか頷くと、ライナスは少しだけ安堵したように笑い、セルマの頬を撫でてきた。

「ようやく君が抱けると思って制御ができなかった」

「……」

「セルマ」

唇が重なる。もう何度も繰り返したせいか、それはすっかり馴染《なじ》んだ行為になっていた。

「大切にするから、私を信じてくれるね？」

「……」

「セルマ」

重ねて言われたが、セルマはゆっくりと目を閉じることで言葉を濁《にご》した。頷くことも拒否することも、今のセルマには選べない。

真摯《しんし》な思いを告げてくれるライナスに嘘はつきたくないが、だからと言ってセルマは自分自身の気持ちがわからないのだ。

（……気づかなければ……良かった……）

しかし。

ライナスの想いに気づかなければ、こんなに悩むことも苦しむこともなかった。

「セルマ、愛している」

「……」

（……ううん）

それでももう、知らなかった頃に戻れるはずもなく、セルマは何度も繰り返して名前を呼ぶライナスの声を聞いていた。

第四章

ライナスに抱かれて一カ月が経とうとしていた。

その間、セルマなりに彼と距離を置こうとしたのだが、一度タガが外れてしまったせいか、ライナスはセルマへの好意を隠そうともしなくなっていた。

人前であからさまに馴れ馴れしい態度はとらないが、二人きりになれば甘えながら押し切られ、一度だけだと思ってた関係は回を重ねてしまっている。

セルマのほうから断ち切らないといけないと思うのに、ライナスを前にすると、きっぱり拒絶しきれないでいた。

「セルマッ」

明るい声で名前を呼ばれ、セルマは足を止めて振り返った。

「……いらっしゃいませ、レイカさま」

「御機嫌よう」

少しばかり畏《かしこ》まった挨拶をした後、レイカは弾けるように笑った。

栗色の髪を緩やかに巻き、碧《あお》い目を輝かせているレイカはとても可愛らしい。王女らしい気位の高さと気の強さはあるものの、とても素直で純粋で、セルマはこの少女をとても好ましく思っていた。

　王城にやってくる彼女の相手を進んでして、不敬だがまるで妹のように思っていたのは少し前までだ。

「どうしたんですか、セルマ？　元気がないように見えますけど」

「大丈夫です」

「本当に？」

　本気で心配してくれるレイカに笑むことはできただろうか。

（こんなにも可愛らしい方を裏切ってしまったなんて……）

　レイカはライナスの許嫁だ。彼はその話は断るつもりでいるが、国同士の約束は簡単に反故《ほご》にはできない。彼女が十五歳の成人を迎えれば、それこそ結婚の話は具体的になってしまうだろう。その時、自分はちゃんと祝福できるだろうか。

「ライナスさまは？　どこにいらっしゃいますか？」

「……っ」

　レイカの口から出たライナスの名前に、情けないほど動揺してしまった。

「セルマ？」

「あ、あの、ライナスさまは執務室に……」

「レイカッ」

背後から聞こえた声に慌てて振り返ると、アレクシスが満面の笑みを浮かべながら足早に近づいてきた。そうでなくても輝くような美貌は、笑うともっと華やかになる。本人はあまり自覚していないようだが、アレクシスはレイカとそれ以外の人間への対応はまるで違うのだ。

「こんなところにいたのか、レイカ。今迎えに行こうとしていたところだ」

「別に、ここは何度も来ているので。一人でも迷うことなく平気ですから」

セルマに対する態度とは裏腹に、レイカはつんとそっぽを向いた。

「そうはいかない。レイカは大切な客人だし、俺は君を守ると決めているからな」

「……」

熱くかき口説くアレクシスとは裏腹に、レイカの反応は可哀想なほどそっけない。それでもアレクシスはレイカの側にいるだけで嬉しいようで、普段は誰も近づけさせない背中に、喜んで振る動物の尾が見えるほどだ。

「私はライナスさまにお会いしに来ているんです。それなのに、いつも相手はあなたばかり」

「兄上は政務で忙しい。なあ、ルディ」

「はい」

アレクシスの背後で畏まる従者は静かに肯定した。

ルディ・ヘイズはアレクシスの従者で、いつも彼と行動を共にしている。頑なで猪突猛進なアレクシスとは正反対の、冷静沈着でどこか飄々としているルディは一見合わないように見えるが、暴走する主人の手綱をちゃんと握っているのはセルマにもわかっていた。

ルディはレイカに挨拶をし、そのままセルマに視線を向けてくる。茶色い目の中に、何か楽しげな色が浮かんでいた。

（……何？）

「会わなかった間の出来事はたくさんあるんだ。レイカ、ほら」

アレクシスはレイカに手を伸ばす。しかし、強引に握ろうとはせず、レイカが動くのをちゃんと待っているのが可愛い。

（本当に好きなのね）

アレクシスがレイカに好意を持っているのはもう決定的だ。できることなら、その恋を成就させたいと願う。だが、ライナスに抱かれてしまった今の自分が、そんなことを考えるのはおこがましいだろう。

「……」

「レイカ」

レイカは差し出されたアレクシスの手を見ていたが、そのままふいっと歩き出してしまった。

「レイカッ」

自分の行動を無視された形になったのに、アレクシスは身軽にその後を追いかけ、ぴったりと隣に並ぶ。

複雑な思いでその姿を見送っていたセルマがふと気配を感じて顔を上げると、ルディが側に立っていた。

「最近、さらに美しくなったと評判ですよ」

「え？」

「女性は男によって変わると言いますが、案外噂は本当だということでしょうか？」

ルディの言葉に息をのむと、彼はすぐに非礼を詫びてきた。

「すみません、失言でした」

軽く会釈して立ち去ったルディをセルマは茫然と見送る。ライナスに抱かれる前なら猛然と抗議できたのに、今は身に覚えがありすぎて、反論することもできない。

アレクシスに付いている彼が自分とライナスのことを下世話な目で見ているとしたら、それこそ羞恥で消えたくなる。

（いつも一緒だから、つい話したりとか……ううん、それはないと思うけれど、でも……）

安全な王城内であろうとも、大切な王族には必ず従者がついている。王などは三人もいるくらいだ。

しかし、考えたらライナスはいつも一人で気楽に歩いている。彼の身は誰が守ってくれるのだろうかと、今更ながら心配になった。

（……私ったら……）

そんなことをセルマが考える必要はない。それより考えなければいけないのは、ライナスと自分との関係だ。

「……どうしよう……」

一度きり。

たった一度だと思ったからこそ、セルマはライナスを受け入れた。ライナスの気持ちにも、永遠に目を瞑る覚悟はできているはずだった。

それなのに――二度、三度と、抱かれているのはなぜか。

絶対に後悔するはずなのに、受け入れてしまっているのはどんな思いからか。

セルマは大きな息をついた。

理由はわかっている。セルマがライナスを切れないからだ。

好意を抱いてくれている相手を切り捨てるのは案外難しい。そして、セルマ自身ライナスを嫌いでないから困っている。

（それでも、このままでいいはずがないんだわ）

目を逸らしていても問題が解決するはずもなく、セルマは前回の求婚話以上に重たい気分だった。

レイカの滞在中、主であるシャルロットも彼女のことを気遣い、頻繁に時間を作って会っていた。隣国とはいえ、異国の地に赴いている年若い王女に不安を感じさせず、不便に思わないようにしているのだ。

しかし、それは同時に、セルマもレイカと会う時間が多いということだ。

今までは明るい彼女とのお喋りの時間は楽しいものだったが、ライナスと関係を持ってしまった今はうしろめたさの方が大きく、真っ直ぐ顔を見ることもできない。

一度肌に触れてしまった指を拒むのは難しいものだと、セルマは初めて自分の身で思い知った。甘酸っぱく、胸苦しい思い。それは、楽しいと思えるはずもなく、むしろ自分の中に生まれてしまったライナスへの想いを抑えることへの困難さを、強く突きつけられることでもあった。

「セルマッ」

ちょうど入ってきた食堂の給仕が声をかけてくる。

「菓子が焼きあがったぞ」

「あ、はい」

「用意しておくから、冷めないうちに取りに来い」

「わかりました」

セルマは零れそうになった溜め息を押し殺して笑みを向けると、そのまま洗濯室から出た。

「……食堂に行かなくちゃ」

この後、シャルロットがレイカを茶に呼んでいる。そこには当然のようにアレクシスが来るだろうし、時間の都合がつけばライナスも現れるかもしれない。

そんな中で冷静にふるまえる自信もなく、だからと言って今までその場にいたのに急に席を辞するということも難しくて、セルマは自業自得とはいえこんな事態を招いてしまった現状をどうすればいいのだろうと当惑していた。

(部屋の隅で控えていればいいかしら……)

「…あっ」

洗濯室を出て角を曲がった途端、いきなり腕を摑まれて側のリネン室へと連れ込まれる。

「んんっ?」

驚いて声を上げようとした口を大きな手で押さえられて恐怖さえ感じた気持ちは一転、目の前の人物を見てセルマは知らず肩の力を抜いた。

しーっと口の前で指を立てているライナスは、セルマが落ち着いたらしいのを見て手を離してくれる。

考えていた人物が唐突に現れ、セルマは落ち着かなかった。どこを見つめても二人きりの甘い時間を思い出してしまうし、目を逸らすとライナスを傷つけるようで気が引ける。

それでも、抗議の気持ちは表したくて、セルマは眉間に皺を寄せて、精一杯怒っているんだという態度を示した。

「子供のようなことをされても困ります。いったいどうなさったんですか？」

（……良かった）

声は震えなかった。内心安堵するセルマを、ライナスは目を細めて見つめてくる。

「セルマが悪いんだよ」

「私が？」

理不尽な責任の転嫁《てんか》を心外に思うが、

「私を避けているだろう？」

そう言いながら腰を引き寄せられてしまい、セルマは息が届くほど間近からライナスに見下ろされる体勢になってしまった。その顔は笑ってはいたものの、目はまるでセルマの心の内を見透かすかのように強い。

どうやら、セルマの行動にライナスは怒っているらしい。直接その言葉は出ないが、どう考えてもそうだとしか思えなかった。

（でも、私だって……）

セルマも、理由もなくライナスを避けているわけではない。一線を画すため、何よりこれ以上ライナスに溺れないために、必死に距離を保とうとしているのだ。

「セルマ」

「……っ」

壁に背を押し付けられ、腰から離れた手に顎を摑まれた。

「私から逃げようと思っていないよね？」

「……私は……」

顔を逸らしたくても、顎を捉える指の力は意外に強い。セルマに残された手段は、目を伏せることだけだった。

「セルマもいろいろ考えているのかもしれないけれど、私だって何も感情のままで動いているわけではないよ？　前も言っただろう？　私を信じてほしいって」

唇に息がかかる。近いと思った次の瞬間には、ライナスにくちづけをされていた。優しく触れたそれは、セルマの頑なな気持ちを溶かすように、何度も何度も角度を変えて繰り返される。

動揺して、セルマは目を閉じた。そうなると、感覚だけでライナスの存在を感じる。

「ふ……んっ」

軽く唇を食まれ、わずかに開いたそこから舌が侵入してきた。ぴちゃっという淫らな音が頭の中に響き、セルマは思わずライナスの肩に手をやる。

「……」

笑う気配に羞恥を感じて離れようとしたが、反対に拘束は強くなってしまった。

（いつも、こんな……っ）

セルマは避けているつもりでも、ライナスはことあるごとに現れ、こんなふうに触れてくる。それが、軽く頬に指先が触れるだけで終わる時もあるし、抱きしめられ、こんなふうにくちづけをされることもあった。

結局、きっぱり断らない自分が一番悪いのだという自覚はあるが、それでも、想いを寄せてくれる相手を切り捨てるというのはなかなか難しい。それも、自分も相手を憎からず思っていればなおさら……だ。

肩を掴んでいたセルマの手が背中に回ると、ライナスはくちづけを解いてそのまま頬から耳へと唇を移動した。

「愛している、セルマ」

「……ぁ……」

甘い囁きは毒になる。恋は盲目になると物語に書かれていたが、まさにこの歳になってそれを実感していた。

耳をくすぐる舌は悪戯に首筋を掠《かす》め、時折強く唇を押し当てられて吸われる。ちくりとした痛みは走るが、何度も繰り返されているうちにそれも麻痺していった。

「可愛い」

「……や……」

「可愛い、セルマ」

言葉を惜しまないライナスは愛の囁きを繰り返し、いつのまにか拘束を解いた手は服の上から意味深に胸を撫でるように揉んだ。

「……っ」

数日前にも抱かれたばかりの身体は、そんな些細な触れ合いにも敏感に反応した。

「どうしたの？　セルマ」

「あ……」

「ん？」

すべてがわかっているだろうに、ライナスはわざとセルマから行動するような言い回しをする。今も、セルマから抱いてほしいと言わせようとしているのだ。

（そんな、恥ずかしいこと……っ）

セルマは喘ぎ声を漏らしていた唇を引き結ぶ。

「やっぱり、可愛いね、君は」

年上のセルマに向かってそんな生意気なことを言い、ライナスはもう一度くちづけをして、唇を触れ合わせたまま囁いた。

「……今夜、部屋においで？」

否定しなければ。

焦っても声がなかなか出ない間に、ライナスは頬に唇を寄せてから身体を離した。

「今から母上に呼ばれているんだ。レイカとお茶を飲もうって」

「……え」

「アレクも来る。君も来るだろう？」

「……ライナスさまは……」

「ん？」

「……ライナスさまは、意地悪ですね」

「意地悪？」

「……意地悪です」

その状況でセルマがどんなに心を痛めるのか知っているくせに、そんなふうに笑って言うなんて本当に狡い。

「私は、セルマといられれば嬉しいから」

「……っ」

「後で」

先にリネン室からライナスが出て行くと、セルマは足から力が抜けてその場に座り込んでしまった。


人数分用意された茶をそれぞれの前に配る。

「ありがとう、セルマ」

シャルロットは微笑み、

「ありがとうございます」

レイカは軽く頭を下げた。

アレクシスはレイカの隣の椅子を陣取っていて、配られた茶に目も向けない。

「ありがとう」

そして、ライナスはセルマの目を見て笑いかけてきた。

「い、いえ」

前もってライナスが来ることを聞かされたせいで動揺は少なかったが、その時に交わしたくちづけの熱さを同時に思い出すことにもなってしまい、セルマは落ち着かずに視線を揺らす。

ライナスはそれ以上何も言わなかったが、茶器を置く時に伸ばしたセルマの手にさりげなく触れてきて、慌てて指を引くと堪えきれないというように笑われてしまった。

(……もう)

世間の評判では、落ち着いて、温和で、知的な王子さまと言われているライナスだが、セルマに対しては子供じみた真似をよくする。いや、それだけならいいのだが、不意に男の顔になって迫ってくるのが厄介だった。

「レイカ姫のお誕生日も間近ですわね」

セルマとライナスの密やかな攻防に気づかなかったシャルロットが話を振ると、レイカは、はいと頷いた。

「早く、成人の儀を迎えたいです」

「わたくしも楽しみだわ」

（成人の儀……）

確か、セルマの成人の儀は二カ月後くらいではなかったか。

王族の女性が成人の儀を迎えるということは、いつ嫁いでもいいという意味でもある。

レイカももちろんその自覚はあるだろうし、シャルロットも彼女を花嫁として迎える心づもりだろう。その相手は、許嫁とされているライナスのはずだ。

「レイカの成人の儀には俺が出席をする」

すると、突然アレクシスが宣言した。シャルロットはそれを聞き、まあと驚いた後、眉間に皺を寄せる。

「あなたが出席することはないでしょう？」

「なぜです？」

「なぜって……」

「他国の王族の祝いごとに、王族の者が出席しても何の不思議もないでしょう？　第一、レイカと我が国とは深い間柄だし、今更他国の人間が割り込んでくるのは許せませんから」

真面目に答えるアレクシスは、自身の主張に絶対の自信があるようにしか見えない。

「ライナス」

シャルロットが助けを求めるようにライナスを見た。

シャルロットとしては、許嫁のライナスが出席するのならともかく、第二王子のアレクシスがわざわざ足を運ぶ必要はないと説得して欲しいのだろう。頑固なところがあるアレクシスも、兄の言葉なら素直に聞くからだ。

「いいじゃありませんか」

しかし、ライナスはこともなげに言った。

「アレクが出席しても、何の問題もないと思いますが？」

「でも……」

「むしろ、オルグレイン王国の王子がわざわざ足を運べば、あちらの王も喜ばれるのではないですか？」

（それは、ライナスさまがいらっしゃったらと思うけれど……）

隣国の王も、レイカの許嫁であるオルグレイン王国の第一王子という存在の方が嬉しいのではないか。

側で聞いていたセルマでさえそう思うのだから、シャルロットも内心はライナスを咎めたいのだろう。しかし、レイカを前にして揉め事も起こしたくないに違いない。

「……それは、ご招待いただいた上、王のご判断にお任せしましょう。アレク、それでいいわね？」

明らかに不満げな顔をしたアレクシスだったが、ここではそれ以上主張しなかった。

お茶の時間はそれから間もなく解散となり、レイカはアレクシスと共に、そしてライナスも執務に戻っていった。

「……はぁ」

皆が出て行った途端、シャルロットが深い息をつく。

「お疲れですか？」

セルマが控えめに声をかけると、シャルロットは疲れたような笑みを向けてきた。

「本当に、わたくしの子供たちはどちらも扱いにくいこと」

「……」

「ライナスはちゃんとレイカ姫のことを考えていると思う？」

「え？」

一瞬、セルマは冷たいものが背中に滲んだ気がした。自分が試されているのではないかと思ったからだ。

だが、すぐにその考えを振り払う。シャルロットがそんな遠回しなことをするわけがないと悟ったからだ。

いくら親しくしてもらっているとはいえ、シャルロットと自分の関係は、あくまで主と使用人だ。主の意に沿わないことがあれば、バッサリと切り捨てられても文句は言えない。

「……ライナスさまも、色々とお考えになっておられると思います」

「そうかしら」

「……ええ」

「あら……セルマ」

「は、はい」

「ここ、どうかしたの？」

シャルロットに首筋を押さえながら言われても、それが何の事だかわからずにセルマは首を傾げる。

「赤くなっているわ」

「赤く、ですか？」

触れても痛くないので、どうなっているのかまるでわからない。

「何かにかぶれたのかしら……それとも、虫？　すぐに医師に見せてきなさい」

「は、はい」

その言葉がちょうど良い切っ掛けだと頷いたセルマは素早く片づけをし、一礼して部屋を出た。

「……ふぅ」

部屋を出てすぐ、セルマは胸を押さえる。ドキドキとうるさいくらい早鐘を打っている鼓動はまだ落ち着かない。

ライナスと禁忌の関係を続けている限り、今のようなやり取りがいつ出てくるのかわからないのだ。

シャルロットと、レイカと、アレクシス。大好きな彼らを裏切り続けることはとても難しい。

「……旦那さま……」

無意識に零れた名前にセルマはハッとした。

忘れていたわけではないのに、こんな時にフレインの名前を出してしまう自分の愚かさが恥ずかしい。

死に別れたとはいえ、たった二年で、もう他の男性をこの身に受け入れてしまったことを、彼が知ったら何と思うだろう。

（……どんな言葉を、かけてくださるかしら……）

無条件に穏やかな愛情を与えてくれた亡き夫に縋《すが》る狡い自分を、セルマは嫌悪した。

「あ……虫刺され？」

ふと、シャルロットに教えてもらった痕が気になって指先で触れたが、痒くも痛くもない。

（このままでいいかしら……）

歩き始めたセルマは、視線の先で立ち話をしているライナスとレイカの姿に気づいた。

レイカと一緒にいるはずのアレクシスの姿はないようだ。

「……」

レイカはアレクシスといる時に浮かべるつんと澄ました顔とは違い、とても楽しげに笑っている。こうして見ると、二人はとても似合いに見えた。

（ライナスさまは、どうしてレイカさまを好きにならなかったのかしら）

そこへアレクシスが現れて、何かライナスに訴え始めた。それをライナスが笑いながら見ていて、

（……あ）

アレクシスに抗議しようと振り向いたレイカがよろけ、その腰をとっさにライナスが支えた。

「……え？」

何気ない行動のはずだ。セルマがそこにいたとしても、レイカを支えたと思う。それなのに、胸が急に締め付けられてしまったことに当惑した。

（どうして……）

いつもなら微笑ましいと思う三人を見ながら、セルマの頬は僅かに強張っていた。

それ以上彼らを見ていたくなくて、セルマは足早にその場から立ち去った。こんなふうに暗い感情を抱く自分の心を持て余していると、

「セルマ」

「！」

掛けられた声に、セルマはその場に足が張り付いてしまったかのように立ち止まった。

「どうしたの？　気分でも悪い？」

たった今、レイカと一緒にいたはずのライナスがどうして自分の前にいるのかわからなかった。それでも、妙に嬉しく思う自分がいて、セルマはその心境の変化に動揺した。

「どうして、ここに……」

「さっき、君の姿を見たから。様子がおかしい気がしたんだけど……」

（私に気づいて？）

物陰から盗み見ていたのも同然の自分を、ライナスはちゃんと気づいてくれていた。そう思うと自然に頬に笑みが浮かんできそうになるが、セルマは必死に押さえながら他の言い訳を探した。

「……く、首」

「首？」

「あの、シャルロットさまに虫に刺されているって言われて……」

都合よくそのことを思い出して言えば、身を屈めたライナスが首筋を覗き込んできた。熱っぽい視線を感じていると、不意にくすりと笑う気配がする。

「これ、虫じゃないよ」

「え？」

「ほら」

いきなりセルマの手をとったライナスは袖を肘まで捲りあげ、晒された肌に唇を寄せてきた。

「……っ」

つきりとした鈍い痛みに眉を顰《ひそ》めれば、顔を離したライナスが笑いかけてくる。

「ね？」

「……あ」

白い腕の内側には、うっすらと赤い痕が付いていた。

「これ……」

（え、じゃあ……）

シャルロットの部屋に行く前、ライナスに首元にくちづけられた。もしかしたらその痕が残っていたのだろうか。

「……っ」

自覚していなかったとはいえ、生々しい接触の証をシャルロットたちの面前に曝していたのかと思うと憤死しそうだ。

「真っ赤だね」

羞恥に身を赤くしているセルマを見て、ライナスは悪戯が成功したような嬉しげな表情をしている。

振り回されてばかりのセルマは、ただ非難の目を向けることしかできなかった。

＊　＊　＊

『ライナスさま……ぁっ』

甘い声で自分の名前を呼び、細い腕を背中に回して強く抱き付いてきたセルマ。

夕べ抱いた甘い身体は、今もライナスの身体にはっきりとした余韻を残していた。

表面上は、難しい書類に向かっているように見えるだろうが、恋をしている男の頭の中というものは、たいがい同じように馬鹿なもののはずだ。

そのわかり易い例が弟のアレクシスで、レイカが滞在中の今は執務もそっちのけで暑苦しいほどに世話を焼き続けていた。

「どうぞ」

その時ドアが叩かれ、ライナスは入室を許可する。ちらりと目を上げた先にいたのは、ここにいてはならない人物だった。

「アレクはどうした？」

常にアレクシスの側についている従者のルディは、軽く手を上げて部屋の中に入ってくると、そのまま空いている椅子に腰かけた。

「ルディ」

強めに名前を呼ぶと、ようやく笑みを含んだ声が返ってくる。

「離れていろと言われた」

「なに？」

「短い時間で構わないから、姫と二人だけにしろと命じられたんだ」

「……あいつは……」

「側にいると、俺の気配は強くて気になるらしい。代わりの衛兵を付けているから大丈夫だ」

この男がそう言うのなら、きっとそれなりの対処をしてここにいるのだろう。ライナスも事情がわかれば納得もできて、書類を手から離した。

「さぼるためにここに来たのか？」

「ここが一番人の目を気にしなくていいからな」

「茶は出さないぞ」

「期待していない」

軽快な掛け合いが途切れ、ライナスはルディと目を合わせて小さく口元を弛めた。

アレクシスの従者、ルディは、もともとライナスの幼馴染だった。ルディの父がライナスの父の従者で、幼いころからルディもライナスの遊び相手として王城に通っていたのだ。

初めから気が合い、お互い似た性格だと認め合っていたせいか、ルディは初めライナスの従者になるつもりだったのを、ライナスが頼み込んでアレクシスの従者になってもらったのだ。

文武両道、何より頭の回るルディならば、可愛い弟を絶対に守り通してくれると考えた。

今は平和なオルグレイン王国だが、きな臭い火種がまったくないというわけではない。

父の前の王は、父から見たら従兄だったが、一生独身だったために世襲にはならなかった。ただ、その兄弟に王座が行かなかったのは、単純に無能だったからという噂だ。

そのため、王に指名された父を恨み、いくどか危険な場面もあったらしいと聞いた。今では当事者は亡くなったらしいが、血縁者はいるはずだ。万が一のことを考え、ライナスは一番信頼できる者を、大切な弟に付けたかった。

その代わり、自身に従者は置かないと決めた。アレクシスを狙うくらいなら自分をと思った。剣の腕も多少は覚えがあったし、なにより武器となる狡猾さが自分にはあるのだ。

ライナスの気持ちを受け入れてくれたルディはアレクシスの従者になり、もともと弟のように可愛がっていたので今は良い関係らしい。というか、アレクシスの暴走を楽しみながら止めるまでになっているようだ。

「まったく、あいつといると飽きない。今日は何と言ったと思う？」

こんなふうに質問する時は、意外な答えだということだ。

「……レイカ姫と、四六時中一緒にいる時間が欲しい、とか？」

「違う。まあ、姫のことだが」

ルディは口角を上げる。

「レイカ姫を手に入れるためなら、お前と決闘してもいいらしい」

「私と？」

どこでどう考えたらそうなるのかわからないが、レイカが目の前にいる時のアレクシスの頭の中は彼女のことばかりなので、理由を考えてもしかたがないことなのかもしれない。

「泣いて謝ったら、許してくれるらしいぞ」

「はは」

身分の違いはあるが、二人きりの時は無礼講と暗黙の了解をしている。自分や弟のことを、「お前」、「あいつ」と言われても腹も立たない。

ルディにアレクシスの動向を常に報告してもらっているライナスは、弟のレイカへの想いはもちろん、今何を考えているのかほぼ把握しているといっても良かった。

「正直なところ、どうするんだ？」

「ん？」

「姫の成人の儀は目の前だ。そうなると本格的に結婚の話が出てくるんじゃないか？」

「私の気持ちは変わらないよ」

「年上のお姉さまはいいか？」

さすがに、その比喩には眉を顰《ひそ》める。

「セルマは純粋で可愛い女性だ」

「え、あの歳で？」

「肌も綺麗で、反応も初々しかった。セルマは私にとっては可愛い恋人だ」

（そう……私にとっては）

セルマにはちゃんと愛していると告げたが、本人がそれをどう捉えているのか実のところライナスも測りきれていなかった。

あれから何度も抱いたし、くちづけは数えきれないほど交わしている。そのたび、セルマは拒んで見せるが、最後はライナスの腕の中で淫らで可愛く啼《な》いてくれるのだ。

嫌われてはいないと思う。ただ、弟として見られているのなら考えものだ。ちゃんと一人の男として愛してもらわなければ意味がない。

堂々と告げると、ルディは苦笑しながら肩を竦めている。セルマへの想いを自覚したときからルディには隠さなかったので、当然のことながら今は身体の関係があることも知っている。それでも、沈黙を貫いてくれるのは親友という立場以上に、何よりアレクシスの利となることを考えてくれているからだ。

アレクシスにルディを付けてよかったと、ライナスは改めて感じている。

急に口を閉ざしたライナスを、ルディは探るように見ている。良いことも悪いことも共にした、いわば悪友のような存在だが、だからと言って弱みをすべて見せる必要もない。

弟が大事だと知られているだけでも十分だ。

「とにかく、レイカ姫と結婚するつもりはない」

「王が納得すると思うか？」

「父上が何をおっしゃったとしても、私の気持ちは変わらない」

国同士の繋がりが大切だというのは、一国の王子であるライナスもよくわかっている。成人を迎える前、いずれ結婚する相手だとレイカの存在を告げられた時も、そうなのかと当たり前のように受け入れるつもりだった。

――しかし、出会ってしまったのだ。

何をおいても、誰よりも、自分が欲しいと思い、愛したい存在に。

人のものだからこそ制御できていたが、その柵が取れた途端、自分でも笑えるほどあからさまに行動した。

セルマの気持ちももちろん大切だが、ライナスは十五の時から少しずつ育ってきたこの想いを捨てることはとてもできなかった。

「……荒れるだろうな」

「別に、父上は怖くない」

「何が怖いんだ？」

「……」

「色々あるが……アレクが暴走するのも考えものだな。あいつのレイカ姫馬鹿は相当なものだし、認められなかったら駆け落ちだってしかねない」

「駆け落ち……」

（……悪くないが）

ライナス自身、セルマと結婚できなければ非常手段として使えるかもしれないが、それは本当に最後の手段だ。セルマへの想いとは別に、一国の王子としての責務を無責任に投げ出すことはさすがにできない。

「大変だな、王子さまは」

「まあね」

ライナスは苦笑を零した。

「それでも、今更生まれ変わりたいとは思わないけど」

（セルマと出会えなかった時なんて考えたくもないし）

言葉には出さなかったが、何を考えているのかはその表情で簡単に読み取れたらしい。

ルディは端正な顔を崩して呆れた表情を浮かべた。

「まったく、その顔を彼女に見せたら話は早いんじゃないか？」

「……」

「本人に気づいてほしいとか？」

「私が言ったら、それは結局命令になってしまうだろ」

「……難しいところだが」

「セルマには、一人の男として向き合いたい」

格好をつけていると言われても、結局はセルマからも愛されたいというのが正直な気持ちだ。

「ルディ」

「ん？」

「そろそろ戻れ」

「ん〜」

それほど時間は経っていないと言い返されるかと思ったが、ルディは案外素直に立ち上がった。

「じゃあな」

「頼む」

ライナスの言葉に、ルディはまた手を上げながら部屋を出て行った。

ルディが出て行くと、執務室の中は再び静かになった。

(……あいつも、そろそろ限界だということか)

アレクシスも、レイカの成人の儀が気になるのだろう。

むきになるアレクシスをからかうという意味もなくはなかったが、ライナスがいまだ父に対してレイカとの結婚を明確に拒否しないのは、セルマの立場を思えばこそだった。

父もセルマのことを気に入っているが、所詮は使用人だと考えているはずだ。レイカと比べれば、レイカをとるというのも理屈ではわかる。

ライナスはセルマを守り、愛を貫くつもりだが、そこにはセルマ自身の想いもなければならない。

彼女の気持ちがはっきりするまでは現状維持にしておこうと考えていたが、その時間もあまり残されていないことを改めて思い知った。

第五章

セルマが自分自身どうすればいいのかわからないまま二ヵ月が過ぎた。

結局、レイカの成人の儀にはオルグレイン王の使者が出席することになり、主張を認めてもらえなかったアレクシスが、しばらくの間ピリピリとした空気を背負っていた。

レイカが十五歳になったことで、王城の中ではライナスとレイカの結婚を後押しする空気が広がっている。

ライナスはもうすぐ二十三歳。結婚どころか、子供がいてもおかしくない年齢で、それを望む声は大きい。国が誇る王子の幸せな姿を見たいと、王城の中の人間も、そして国民も皆、願っていた。

もちろん、そんな声はセルマの耳にも届いていた。本来はそれが正しい在り方なのだと、ちゃんと理解もしている。ただ、頭の片隅で自分がそれを望んでいるのかという思いがあって、素直に祝福できる気持ちにはなれなかった。

それに、まだ解決していない問題もある。

「……どうして？」

扉を開けた途端にいるライナスの姿に、セルマは反射的に周りを確認してしまう。

セルマの部屋は使用人たちが暮らす別棟ではなく、王城の一角にある。王妃付きの侍女なので、いつでも所用に対応できるよう、できるだけ近くにいなければならないからだ。

別の見方をすると、それだけ王城にいる者たちの目に触れる場所にいるということで、いくら夜が更けた時間だとはいえ、人目がまったくないはずはなかった。

「今更だよ。もう何度もここに来ているのに」

「……っ」

笑いながら言われた言葉に、セルマの頬は真っ赤になる。

(で、でも、いつも気にしているのに……っ)

頻繁にではないが、もう何度もライナスはここに訪れた。夜更けに来て、夜が明ける前に出て行く。なんだか忍んでいる恋人同士の逢瀬のようで、セルマはそのたびに落ち着かない気分になる。

「それとも、セルマが私の部屋に来る?」

「そ、そんなことできるはずがありません」

第一王子のライナスの部屋は、王と王妃の部屋と同じ階だ。王妃の侍女であるセルマがそこを行き来するのは何の不思議もないが、ライナスの部屋に入る姿を見られてしまったらそこで終わりだ。

(私たちには、あの噂が……)

セルマとライナスの関係を揶揄する噂は、レイカとの婚儀の話が浮上した今も完全には消えていなかった。

だからこそ、セルマ自身はできるだけライナスと二人きりにならないようにしているが、ライナスの方は行動を改めようとはしない。

「セルマ」

「……」

受け入れなければいいだけなのに、追い返すことができない自分が情けなかった。

「……ぁっ」

ライナスの手が髪を撫で、そのまま頬に滑り降りる。唇に触れ、促されてわずかに開くと、指が中に入ってきた。

「んぁ」

指はセルマの舌をからかうようにくすぐる。セルマが抵抗するように噛むと、ライナスは目を細めて笑った。昼間の、国を背負う凛々しい王子の顔とは違う、滴《したた》るような情欲を孕んだ男の顔を見せられ、セルマは目を離せない。

「……セルマ」

大切なものを呼ぶようなライナスの声に目を伏せると、口から指は引き出され、今度は唇が重なってきた。

「……んっ」

重なった唇は、互いに薄く開いて舌を絡め合い、唾液を交換する淫らなものへと変化する。こんな場所で、誰が見るかもわからないのに、壁に身体を押し当てられた体勢のセルマに逃げることは叶わなかった。

ようやく、軽く音を立てて離れた唇は、最後に頬を掠《かす》めた。

「入れてくれるね？」

「……」

(やっぱり……狡い)

身体の芯に火をつけられた状態で、ライナスを追い返せるはずがない。ぎこちなくセルマが身体をずらすと、ライナスは滑るように部屋の中に足を踏み入れる。

「きゃぁっ」

振り返ったライナスに急に抱き上げられたセルマは、慌ててその首に手を回した。

「落とさないよ」

「……はい」

「こういう時、セルマはおとなしいな」

ライナスの目にはそう見えるのか。今の自分は、自分の熱を必死に抑えているだけだ。

ベッドに下ろされると同時に、ライナスの身体が覆いかぶさってくる。

セルマは、目を閉じた。

ライナスは丁寧にセルマの強張りを解いていく。口だけではなく、頬や首筋、そして胸へと下りていく唇を感じながら、セルマは自分の中の、ライナスが欲しいという感情と向き合っていた。

「あ……っ」

密やかな逢瀬を重ねるたびに、馴染んでいく熱い肌。こんなことを続けていては駄目だと思うのに、溶かされていく理性を止めようがない。

「セルマ」

「……」

「綺麗だよ、セルマ」

ライナスに名前を呼ばれるのが嬉しい。全裸を曝したセルマを強く抱きしめたライナスは、まるで誓うように囁いた。

「愛している」

愛の囁きは、身体の芯を熱くしていく。

セルマは自分に圧し掛かってくる男を見た。こんなにも凛々しく、地位もあるというのに、どうしてこれほど必死に自分を欲しがってくれるのだろう。身体だけなんて、そんな卑下する気持ちを持つ方が申し訳ないほどに、ライナスはセルマを大切にしてくれている。

「……あっ」

乳房を揉まれて声を上げると、そのまま重なった唇から舌が侵入してきた。

「ふぅ……んぅっ」

舌を絡めるくちづけにもようやく慣れ、注ぎ込まれる唾液も呑み込めるようになった。ただ、やはり息をするのは難しくて、どうしても苦しくなってくちづけを解こうと首を振る。

「……」

するとライナスの笑う吐息を頬に感じて、セルマは一気に顔が熱くなった。慣れないことが、恥ずかしい。

「セルマは」

「……っ」

「やっぱり、可愛いね」

「！」

耳もとで囁かれ、そのまま耳たぶを食まれてしまえば、もうセルマはライナスの思うがままだ。

「セルマ」

何度も名前を呼ばれながら、身体の隅々まで愛された。

乳房を食まれ、たっぷりの唾液を乗せて舌で舐められると腰まで震えてしまい、尻を揉まれてそのまま指が狭間に滑りこんできた。くちりと水音がするのは、既に自分の身体から蜜が溢れているせいだ。

己の浅ましい反応に息をのむが、ライナスはそれが嬉しいらしい。

顔を逸らそうとしてもくちづけで押さえつけ、結局惚《ほう》けてしまうセルマの耳に、楽しげなライナスの声が聞こえてきた。

「セルマは、くちづけが好きだね」

「んっ」

(す、き)

間近で顔を見ることができる。自分を抱いているのが、ライナスだとわかる。優しい時も、宥められる時も、意識を奪われるほど激しい時も、どんなくちづけも、ライナスと交わすそれは好きだ。

「ここも、感じるようになった」

「あんっ」

下肢を割り、秘唇に沿って指の腹で撫でられると、信じられないほど甘い声が漏れるのを知った。

ライナスがいなければ、多分一生知ることのなかった快感。それを手放せと言われても、今のセルマはきっとできない。

(早く……っ)

蜜を絡めながら表面だけを撫でられるのは切なくて、セルマはもっと強い刺激を求めて無意識に腰を揺らすが、夜は意地悪になるライナスはなかなか応えてくれない。

「ラ、ライナス、さまっ」

「蜜がどんどん溢れてくるね」

「も、もうっ」

「シーツをこんなにも濡らして……いけない人だ」

「……あっ！」

不意打ちで指が中に押し入ってきて、セルマはそのまま気をやってしまった。頭の中が真っ白になって、中の指を強烈に締め付ける。敏感になった内襞は指の形を生々しく伝えてきて、自分が何をしているのかを改めて思い知った。

恥ずかしい。恥ずかしくてたまらないのに、これでは足りないともう一人の自分が訴えていた。

「……ぁ」

セルマはライナスを見つめる。真っ直ぐに自分を見下ろしてくる瞳の中の、背筋が震えるほどの熱。あからさまな欲情を孕んだそれは、今はさらに強くなっている。身体を重ねてから隠すことがなくなったライナスの、戸惑うほどに大きな愛は一向に冷める様子はなく、セルマもそれにつられて――。

（……ちが……）

流されているだけで、こんなにも胸が締め付けられる感情を抱くなんて、あるはずがない。

「セルマ」

以前は、少し甘えるように、からかうように名前を呼んでいたライナスの声の中に、いつから甘い響きがこもるようになっただろうか。そしてセルマはそれを、意識して聞き取らないようにしていなかったか。

フレインが亡くなってからずっと、誰よりも側にいて支えてくれた。二歳も年下だというのにいつも頼って、そのたびにライナスは力を貸してくれた。

そのことを、当然だと思うようになっていなかったか。

自分の中の想いに色が付きそうで、セルマは焦って意識を逸らそうと頭を振る。その時目に映ったのは、すぐ目の前にあるライナスの身体だ。いつでも抱き留めてくれる胸はとても逞しく、その下の、雄々しいほど勃ち上がっている陰茎は、蜜を纏わりつかせて淫猥な様相だ。

欲情した男の姿に、セルマは息をのんだ。そうでなくても濡れている下肢から、更に蜜が溢れてくるのがわかる。いつもセルマの髪を撫で、頬に触れる手が、腿を撫でて大きく足を押し広げようとした時、セルマは抵抗しなかった。

「入れていい？」

「や……んっ」

切っ先が、意味深に秘唇を撫で擦る。そのまま強引に押し入ってくればいいのに、ライナスはなかなか腰を突き入れてこない。

「セルマ」

甘い声には熱が加わり、涼しげな容貌にも汗が滲んでいるのが見えた。我慢などしてほしくない。

「セルマ、愛しているよ」

「あ……ぁっ」

「セルマ」

「お……ね、が……いっ」

ねだったと同時に、熱塊は侵入してきた。いくら蕩けたといっても、滾るそれを容易に受け入れることはできず、セルマは高揚する気持ちとは裏腹に、切っ先の途中で痛みに声を上げてしまった。ライナスはすぐさま動きを止め、宥めるように髪を撫でてくれる。

「はっ……はぁっ」

ほんのわずか入っているだけなのに、まるで体中を支配しているかのように存在感が大きい。それでも時間が経つにつれて痛みは僅かずつ痺れに変わり、次第に呼吸も楽になってきた。

（ライナス、さまっ）

強烈に締め付けているせいで痛みを感じているはずのライナスは、セルマが落ち着くまで待ってくれている。その目の中に焦りや苛立ちは一切なく、ただただ、自分への愛情だけが感じられた。

（……あ……）

目を逸らすことも、もうできそうになかった。これだけ大切にされ、愛されて、それでも何も感じないなんてあるはずがない。

「……はっ」

セルマは大きく息を吐き、震える手を伸ばしてライナスの背を抱きしめた。

「……セルマ？」

戸惑ったようなライナスの声に、セルマは喘ぎ声で答える。

「も、っと」

「……っ」

その瞬間、一気にめり込んできた陰茎は、内襞を纏わりつかせながら根元まで入ってきた。さすがに苦しくて気が遠くなりそうだったが、抱きしめてくる腕の強さに何とか意識は持ち直す。

「大丈夫？」

「……は、い」

一度入ってしまえば、馴染んだそれは痛みではなく、快感を与えてくれることがわかっていた。

「セルマ」

身を屈めてきたライナスにくちづけされ、体勢の苦しさに呻くが嬉しさの方が増した。

「愛している、セルマ」

揺らされ、奥が痺れた。

「愛しているよ」

「あんっ、あっ」

（わた、し……っ）

身体から始まったのではない。初めから、ライナスは想いを向けてくれていた。シャルロットやマティアス、そしてアレクシスとレイカ。様々な柵《しがらみ》のせいで本当の気持ちから目を背けてしまうセルマに逃げ道を与えてくれた。

そしてセルマも、きっと――。

『私たちは君を歓迎するよ』

フレインに逝かれ、真っ白になってしまったセルマにそう言ってくれたあの瞬間から、セルマにとってライナスは特別な存在になった。もちろん、それがこんな肉欲も含んだ、苦しくて切ない思いに変化するとは思わなかったが、それでも人生が大きく変化した瞬間だった。

「セルマ」

「あふっ、あんっ、あぁっ」

「愛している、セルマ」

気づかなければよかった。

ただ単に、身体だけの関係ならば、これほどつらくはなかった。

（好きでも、どうしようもないのに……っ）

ライナスは一国の王子で、自分は侍女だ。それに二歳も年上で、結婚だってしていた。自分のような者がライナスに愛されるなんておこがましい。

やがてオルグレイン王国の王になる彼の側には自分などではなく、レイカという姫の方が相応しいのだ。

「セルマッ」

「あっ、やぁっ」

抽送は激しくなり、ベッドの揺れに合わせるようにセルマも腰を揺らした。奥の奥を擦られ、広げられ、ライナスの熱で身体の中が蕩けていく。

諦めなければならないのに、必死にライナスを欲している自分が滑稽だ。それでも、明日になればまた、ライナスの求愛を退けなければならない。

絶対に、受け入れてはいけない。

「あぁんっ」

「セルマ……ッ」

覆いかぶさってくる唇は、動くたびにずれてしまうが、それでも互いが必死に欲しがってくちづけを続ける。熱い息と、溢れる唾液が互いの唇を犯して、上も下も、すべてがライナスに支配される歓喜に胸が震えた。

「王が？」

翌日、セルマは王――マティアスに呼び出された。わざわざ呼ばれるのは王城に上がってから初めてのことで、セルマは急に胸の中がざわめいた。

気難しいところがあり、一国の王として近寄りがたい雰囲気を持つマティアスだが、王妃シャルロットの侍女で、彼女の亡くなった従兄の妻だったという立場のセルマのことを、初めから可愛がってくれていた。

シャルロットの部屋や食堂で顔を合わせることはあるが、こんなふうに呼び出されるということに緊張感と恐怖が一気に高まった。

（……まさか、王の耳にも？）

いまだ消えていないあの噂を、マティアスも耳にしたのだろうか。

執務室の前にいた衛兵は、セルマの姿を認めると入室の許可をもらう。すぐに引き返してきた衛兵に促され、重い足取りで中に入ったセルマは、部屋の中にマティアスしかいないことに気づいた。普段ならここには宰相が詰めているはずだ。その宰相に席を外させてまでセルマと二人で話すこと。

「セルマ」

少ししわがれた声で名前を呼ばれ、セルマは肩を揺らす。

「こちらに」

「……はい」

できるならこの場から逃げ出したいくらいだが、セルマは覚悟を決めてマティアスの執務台の前へと歩み寄る。俯き、前で合わせた手を強く握りしめると、

「お前に確かめたいことがある」

そう言われた。

「夕べ、お前の部屋には誰がいた？」

「え……」

「お前一人ではなかったな？」

もはや尋ねるというよりも確認するような調子で言われ、即座に否定することはできなくなった。

（どうして王が、夕べのこと……）

「お前の部屋を訪ねたライナスの姿を見た者がいる」

「……！」

「単なる所用で、くちづけを交わす必要はないな」

「……申し訳ありません」

夕べのあの姿を見られていたのだ。言い逃れなどできない行動に、セルマは震える声で謝罪するしかなかった。

セルマが認めたからか、マティアスは大きな溜め息をつく。その後の沈黙が重苦しかった。

「……ライナスが頻繁にセルマの部屋に通っているという噂は耳にしていたが、まさかそれが真実だとは思いもよらなかった」

「……」

「フレイン殿を亡くしたお前が心配だからと妃が嘆願し、ライナスが人柄を保証するからと申し出たので王城へ入ることを許したが、こんなふうに裏切られるとは……」

苦々しく吐き出される言葉は、けしてセルマの真意ではない。セルマはシャルロットもマティアスも、レイカも裏切るつもりはまったくなかった。それでも傍から見れば、自分は恩のある人々を騙したと言われるようなことをしたのだ。

(王は、私のことを……)

マティアスは、自分をどうするつもりだろう。

ライナスとレイカの結婚を望むのならば、このままセルマを王城に置いておこうとは思わないだろう。高貴な者が使用人に手を出すことはままあるし、それが悪い事態を起こしてしまうのなら、追放してしまうのが一番早い。

どんなことでも受け入れなければと自身に言い聞かせていると、マティアスは意外なことを口にした。

「お前は、我が国の法を知っているか？」

「法、ですか？」

学校でごく一般的な国法は学んできたつもりだが、どうしてそんなことを今聞かれるのかわからなかった。

しかし、今、マティアスが口にしていることは、一言一句とても大切なことだというのはわかっている。セルマは神妙にマティアスの次の言葉を待った。

「《国王となる者の正妃は、純潔でなければならない》」

「……え」

「この意味がわかるか？　我が国の王は、代々受け継がれてきた血を尊ぶ。そこに、王以外の男の精を身の内にした者が出てきてしまうと、その者が生んだ子は混ざりものの血を受け継いだ者となってしまうのだ」

「それは……」

いくら王と結婚する前に誰かに抱かれたとしても、前もって身ごもっていなければ別の者の血を受け継いだ者を生むとは限らないはずだ。たぶん、現実的にはそうなのだろうが、王族ともなれば対外的な問題も大きいのだろう。

「不思議に思うだろうな。だが、一度でも誰かと情を交わしているものだと、生んだその子が真実王の子か、疑いをもたれてしまうのも事実だ。その憂いをなくすために、この国法はできたと伝えられた」

だが、今までは正妃は国同士の政略上迎えることが多く、その場合嫁いでくる王女は未通の者が当たり前らしい。国内の娘から選ばれる時は、それこそ何重もの念入りな調査が入ると聞かされ、セルマも初めて知る国法に言葉も出ないままだ。

「セルマ」

「……はい」

「妃からお前の事情は聞き及んでいる。それに、私自身フレイン卿のことはよく知っているつもりだ。お前が身持ちが固く、良い娘だということはわかっているし、ライナスがお前を気に入っているのは傍で見ていても明白だ。それでも、これだけは許すことはできない」

「王さま……」

「セルマ、王の配偶者は再婚者であってはならないのだ」

ああと、セルマはようやくマティアスが言いたいことがわかった。

どんなにライナスが望んでも、国法という絶対的なものがある限り、再婚になるセルマとの結婚が許されることはないのだ。それはあくまでも、《国王となる者》という前提が付くが、今のマティアスの口ぶりでは、次期王の指名はライナスをと思っているのが伝わってくる。ライナスが王になるには、セルマとの関係はあってはならない。

（ちゃんと……ちゃんと伝えなければ……）

ライナスは素晴らしい王子だ。彼が王になれば、この国はもっと栄える。そんな輝かしい未来を、自分などのせいで閉ざすことなど絶対にできない。

ライナスがけして遊びではなく、きちんと誠意をもってセルマに対してくれているのはわかる。優しく誠実な彼は、関係を持ったセルマの処遇も考えてくれているのかもしれない。しかし、その結果が、周りが望まないものになってしまったら？

セルマ自身、絶対に後悔する。

「……セルマ、もう一度問おう。夕べ、お前の部屋に誰かいたか？」

いなかった。マティアスが望むのはその答えだ。

セルマもそう伝えたかったが、どうしても声が出てこない。

『愛している』

真摯に告げてくれた声が、耳から離れない。

「……」

「……っ」

「……その沈黙がお前の答えだな」

結局嘘を言うことができず、さりとて肯定もできずに沈黙するだけだったセルマにそう言うと、マティアスは退出を命じた。その際、マティアスの失望を強く感じてしまったのがつらかった。

「……失礼します」

深く一礼したセルマは執務室を出た瞬間、全身が震えて思わず両肩を抱く。

（私のせいで、ライナスさまが王になれないかもしれない……？）

自分のせいで、ライナスが次期王になる権利を失ってしまうのは耐え難い。

結局、マティアスには処遇について何も言われなかったが、セルマは自ら身を引くことを真剣に考えるべき時が来たのだと考え始めた。

＊　＊　＊

早く、セルマとの関係を公表したい。

何度もセルマと身体を重ね、最近ようやく彼女も自分を想ってくれているのではないかと希望を抱くようになっていたはずが、ここ数日セルマの様子ががらりと変わってしまったのだ。

引き寄せれば自然と伸ばされていた腕も、くちづけすれば薄く開いて迎え入れてくれた唇も、どうもぎこちなく、冷たくなった気がするのだ。

一から染め上げた、自分だけの身体だからこそ、その変化を敏感に感じとれる。そんなセルマの変化の原因が何なのか、鈍くはないライナスにはちゃんとわかっていた。

「そろそろ、良い時期ではないですか？」

議会に出席した後、退出しようとしたライナスに向かって、初老の議員がにこやかに話しかけてきた。それがレイカとの結婚で、多くの民が望んでいることももちろん知っていた。

しかし、ライナスが愛し、結婚したいのはセルマだけだ。

この結婚の流れをセルマは敏感に感じ取っていて、ライナスから距離を置こうとしているのに違いない。

レイカとの話が現実味をおびて、アレクシスももの言いたげな視線を寄越す。

セルマを絶対手放すつもりのないライナスは、この機を逃すわけにはいかないと、この国の王と王妃で両親でもある二人に時間をとってもらった。

「改まって話というのは何だ？」

「まずは、父と母としてお聞きいただきたいのですが」

前置きの後、ライナスははっきりと言った。

「エクレシア国のレイカ姫との許嫁の関係を解消いたします」

するつもりだ、でも、してほしい、でもなく、既に自分の中で決定事項として伝える。

「私はセルマと結婚します」

「ライナスッ」

母が身を乗り出し、悲鳴のような声を上げた。

「何を言い出すのですかっ？」

「今言った通りです。セルマと結婚するので、レイカ姫との話は断ります。必要ならば、私がエクレシアに赴いて説明しても構いません。まずは先にお二方に、私の想いを知っていただきたかったのです」

頭を下げるライナスに、父が苦々しく言う。

「お前はわかっているのか？」

「……」

「国法では、王妃は……」

「再婚者はならぬ、ですよね？」

もちろん、その国法のことはライナスも知っていた。

いや、セルマを好きだと自覚し、そのすべてを欲しいと思った時から、現実に想定される問題はすべて解決するつもりで調べた。その中で知った国法だが、正直に言えば何百年も前に作られた、眠ったような法だと思ったが、王族の自分が率先して破るわけにはいかない。

そもそも、それまで代々の王妃に再婚者がいなかったせいでほとんど埋もれていた法律だったが、既に生涯の伴侶をセルマだと決めていたライナスに迷いなどない。

王にならなくても、王子として国を支える一員になればいいと割り切ったのは、案外早かった。それだけ、セルマを手放したくないと思う気持ちが強かったせいだ。これでは、アレクシスを笑えない。

「それでも、私の妻となるのはセルマしか考えられません」

「……」

「次期王は、どうかアレクシスをご指名下さい。少し直情ですが、アレクも立派なこの国の王子です。何より、レイカ姫のことを心から愛していますよ」

そういうと、ライナスは椅子から立ち上がり、再び二人に向かって頭を下げた。

「ご期待に添えず、申し訳ありません。ですが、私は己の気持ちをごまかすことはしたくないのです」

部屋を出る時、

「お前たちはどちらも……」

父の押し殺したような声が聞こえたが、ライナスは振り返らずにその場を離れた。

これで、両親には話は通した。

次にエクレシア国との問題を解決してから、セルマに求婚するつもりだ。何の憂いもない状態で、セルマには頷いてほしい。

身体は既にライナスのことを受け入れてくれていても、セルマはまだ言葉をくれないのだ。気持ちは通じていると信じているが、ライナスも確かな証がほしかった。

ライナスの劇的な告白は、その日のうちに王城内に広まった。

それは両親の口からではなく、その後宰相と議会の前でも同じ宣言をしたからだ。

内々でライナスを説得し、意向を翻すように画策するだろう両親の沈黙を考え、自ら暴露した形だ。

少し周りはうるさくなったが、それでもセルマへの想いを公表できて満足だった。どうやら噂はただの噂だと、セルマとの関係を本気にしていなかった者も結構いたようだ。

前もってセルマに護衛を付けるように手配はしたので直接的な被害はないと思うが、問題は一刻でも早く片付けた方がいい。

「兄上っ」

さすがにレイカの一大事だと、アレクシスが真剣な眼差しで執務室に飛び込んできた。

「本当ですかっ？」

すべて吹っ飛ばして確認だけする弟に笑みが零れる。

「兄上っ」

「ああ、本当だ」

「レイカを……どうするつもりですか」

「彼女にはお前がいるだろう？」

「……」

「私にとってレイカ姫は、昔から妹のようにしか思えなかったんだよ。そんな私より、彼女を深く愛してやれるお前の方が相応しいだろう？」

目の前のアレクシスの表情は複雑なものだった。

レイカとライナスの許嫁の関係が解消するのは嬉しいが、それがもしもアレクシスのためにしたことだと思ってしまうと、何とも言えない気分なのだろう。

こんなふうな表情を見せるから、やはり弟は可愛い。

「大丈夫だ、アレク。私もお前同様、愛する者と共にいたいだけだよ」

「……それが、セルマですか？」

「ああ」

あれだけ側にいたくせに、アレクシスはライナスのセルマへの想いの強さを初めて知ったらしい。

「いったい、いつから？」

「はっきり自覚したのは、彼女が未亡人になった時」

「……」

「でも、きっとずっと前から、彼女を特別な目で見ていたと思うよ」

明確に恋に落ちたという瞬間があったわけではないが、反対にじわじわと浸透していった想いは厄介なほど大きくなっていた。

「お前は、自分とレイカ姫のことだけを考えていればいい」

「……本当に、いいんですか？」

しっかり頷いて見せると、アレクシスはようやく安心したようだ。

納得をしてくれたのなら、一番の強い味方になってくれるだろう。

「近いうちに、エクレシア国に行くつもりだ。こちらの事情で振り回してしまったことを謝罪して、姫の許嫁にはお前の方が適任だと推してくるよ」

「俺も一緒にっ」

「二人同時に国を離れるわけにはいかないだろう？　お前は残って、父上が暴走しようとしたら止めてくれ」

「ですがっ」

「ライナス、この件で父上は私に失望されたかもしれない。そのせいでお前に重い荷物を背負わせることになるかもしれないが……」

聡いアレクシスは、それが王位継承のことだと感づいたのだろう。表情が見る間に引き締まっていくのがわかる。

今まで兄がいるからとどこか自由にしていた弟も、今回のことで己の立場を改めて強く意識したのかもしれない。

こんな顔のできるアレクシスなら、きっと大丈夫だ。

「私はいつでもお前の味方だ。どんな時でも、お前のためなら協力するよ」

アレクシスと言葉を交わしたことで、どうするか判断を決めかねていたエクレシア国への訪問を決めた。父は勝手なことをと怒り狂うかもしれないが、国同士の関係を良好にするための縁を繋ぐためだとすれば、それが自分からアレクシスに変わっても何の不都合もないはずだ。

そう考えたら一刻も早く動いた方がいい。ライナスは、すでにすべての執務の都合をつけ始めていた。

(もうすぐだよ、セルマ)

いつになく心が浮かれていたライナスは、誰よりも先に事情を話しておかなければならない相手のことが頭の中から抜けてしまっていた。

そのことを後悔するのは、また少し後の話になる。

＊　＊　＊

「結婚……？」

「ええ。あっさりとそう言われたわ」

セルマは次の言葉が出なかった。

ライナスが隣国に向かったと聞いたその足でシャルロットの部屋に向かったが、疲れた表情をした彼女が言ったのはそんな驚く言葉だった。

愛していると何度も言われたし、信じていてほしいとも伝えられたが、それがまさか結婚にまで話がいっているとは思わなかった。

セルマの顔を見て、その話が初耳だったと信じてくれたのだろうシャルロットは、小さくごめんなさいと呟く。

「てっきりあなたが結論を出せと責めたのかと……」

「わ、私は、そんな……」

「ええ、本当にどうかしていたわ。わたくしの知っているあなたは、そんなことを考えることもしない人なのに……つい、我が子を庇ってしまうのね」

「シャルロットさま……」

とてもライナスやアレクシスのような大きな子供がいるとは見えない若々しい王妃だったシャルロットも、ここ最近なんだか急に年をとったように見えてしまう。それが心労のためだというのは、セルマも嫌というほどわかっていた。

原因はライナス、いや、自分だ。セルマは申し訳なくてたまらなかったが、シャルロットは謝罪の言葉も受け入れてくれない。

「あなたのことを悪く思いたくないのだけれど……このままではライナスは、次期王の資格を失ってしまうわ」

「……」

未亡人のセルマとの結婚は、同時に王位継承権の剥奪に繋がる。マティアスから国法について聞いていたセルマは、その恐れが現実のものになりそうなことに恐怖した。

(……駄目)

ライナスはこの国に必要な人だ。自分などのためにその力を無駄にしてしまうなんて絶対に許されない。

「……お暇を、いただけませんか」

次の瞬間、セルマはそう口にしていた。

「セルマ?」

驚いたように自分を見るシャルロットに、自分が言った言葉の意味が改めて重く圧し掛かってきた。それでも、今自分ができることは何なのか、落ち着いて考えたとしても結論は一つだけだったように思う。

「こんなにもお世話になったのに、勝手なことを言って申し訳ありません。でも……どうか、このままお暇を頂くことをお許しください」

ライナスに迫られてしまえば、拒否できない自分がいる。ライナスを受け入れてしまう限り、彼も手放す切っ掛けを失ってしまうだろう。それならば、目に見える距離をとるしかなかった。

「待って、よく考えて、セルマ」

シャルロットは、自分が言った言葉でセルマがそんな決意をしたのだと思ったらしく、すぐに必死で引き留めようとしてくれたが、ライナスがいない今でないとセルマも思い切った行動ができない。

結局、暇ではなく休暇という名目だと何度も念を押されて王城を出たのは、ライナスが隣国に赴いてから二日後のこと、セルマがライナスへの想いを自覚して十日も経たない時だった。

セルマが最初に足を向けたのは、亡くなった夫フレインの墓だった。

今までも暇があればやってきて、色々と話しかけていたのだが、思えば最近はライナスとの関係に悩んでとてもそんな気になれなかった。

「旦那さま……」

緑に囲まれた広い敷地の墓地で、フレインは前妻と静かに眠っている。セルマは絵姿でしか見たことがない前妻はふくよかで優しそうで、きっと今は天国で、二人で仲良くお茶でも飲んでいるのではないだろうか。

『私だけ若い伴侶を得て、きっと焼きもちをやいているだろうね。ああ、君にではないよ？　私も若い旦那さまが欲しかったとね』

生前、フレインと墓参りをした時、彼はそんなふうに言って笑っていた。

あの時は、とても穏やかな日々だった。大きく感情を揺さぶられることはなかったが、反対にこんなにも胸が痛くなることもなかったと思う。

何も考えず、ただフレインに守られていた。それがどんなに贅沢なことだったのか、今ならよくわかる。

王城に上がらず、別の場所で、静かにフレインのことを考えていればきっと心安らかだっただろう――でも。

（……ライナスさま……）

心の中に生まれてしまった想いに目を逸らすことはできない。

「これからどうしよう……」

実家に帰るという選択肢はまったくない。だとすれば、住み込みの仕事を探すのが現実的だ。ただ、それをするにも拠点となる場所が必要で、せめて荷物を預けるために、以前フレインとよく通った教会にお願いしようかと考えた。

「奥さま？」

不意に、後ろで声がした。

それが自分を呼ぶものとは思わず歩き続けていると、

「セルマさまっ」

今度は名前を呼ばれ、セルマは立ち止まって振り向いた。

「……リジィ？」

「まあ、やはりセルマさまでしたか」

嬉しそうに歩み寄ってきたのは、フレイン家のメイド頭だ。

髪に白いものが目立ち始めた彼女は、確かあのまま屋敷に勤めていたはずだ。

「王妃さまのお使いですか？」

セルマが王妃付きの侍女として王城に上がったことも知っている彼女はにこやかに尋ねてくるが、セルマは何と言っていいのか言葉に詰まってしまった。まだ行く当ても決まらぬままさ迷い歩いているなんて、恥ずかしくて言えない。

「私は……」

「どちらに馬車を待たせておいでです？　少しお時間あるでしょうか？」

久しぶりの再会を喜ぶリジィに誤魔化すことはできなくて、セルマは少し早口に告げた。

「……馬車は、ないの」

「まさか、歩いて？」

驚いたように言われて、さすがに苦笑する。

「市街までは連れてきてもらったのだけれど」

「それで？」

「……」

「……ご事情がおありですか？」

「……少し」

ライナスの現状を知られるわけにはいかないので言葉を濁したが、もともと嘘をつけない性質なので、表情で何かあったことはすぐに感づかれたらしい。

「セルマさま」

「リジィ？」

背中を押され、セルマは戸惑った目をリジィに向ける。

「ここでお会いできたのも、きっとフレインさまのお導きです。さあ」

「あ、あの、どこに？」

「お屋敷ですわ」

「お屋敷って……」

いったい何がどうしたのかわからないまま、セルマは半ば強引にリジィが乗ってきた馬車に押し込まれてしまい、そのまま懐かしいフレインの屋敷に連れていかれた。

外観も中も、そして使用人の顔ぶれもまったく変わらないのを懐かしく思うが、ここは二年以上も前に手放してからフレインの屋敷ではない。

だが、フレインの甥だという今の屋敷の主人であるベルナルドは、その訪れを歓迎してくれた。そればかりではない。

「行くところがない？　それならばぜひ、この屋敷に滞在するといい」

「と、とんでもありません。私はもう……っ」

「ちょうどよく、私は今夜から所用でエクレシアに向かわねばならなくてね。ひと月ほど留守にするし、その間、自由に過ごしてほしい」

彼とは屋敷を引き渡す折、二回ほど会っただけだ。そんな自分を不在の屋敷に置いてくれるほどどうして信頼してくれるのだろうと不思議に思ったが、ベルナルドは目に懐かしい色を浮かべて話してくれた。

「生前、叔父は会うたびに君のことを私に話してくれたんだよ。亡くなる瞬間まで、叔父は幸せだったと思う。大好きな叔父が慈しんだ君が困っているのなら、私は助けたいと思うよ」

「ベルナルドさま……」

そう言って笑う目元は、心なしかフレインに似ている。確か、フレインの兄の子供だと言っていたが、確かに血が繋がった、それも仲の良い関係だったのだと感じ、セルマはもういないフレインがまだ自分のことを守ってくれているのだと嬉しくなった。

今ここで強引に断ったとしても、この後の行く当てがあるわけではない。最低限、今夜泊まる場所を早急に探さなければならないし、もちろん仕事も同じことだ。

ベルナルドの厚意に甘える形になってしまうが、セルマは割り切って考えなければと頭を下げた。

「お言葉、感謝します。ですが、客人としてではなく、どうか使用人の一人として置いていただけませんか？」

甘えるばかりではいけないと思うセルマの意見はなかなか受け入れてもらえなかったが、出発も間近になった頃にはベルナルドが折れてくれた。

「それでは、留守を頼むよ。リジィ、セルマのことを頼む」

「はい、お任せください」

「ありがとうございます。お気をつけて行ってらっしゃいませ」

リジィたち使用人と一緒に頭を下げてベルナルドを見送ったセルマは、ようやく一つ息を吐いた。

「良かった……」

まったく何の頼りもなく王城から出てきたが、その日のうちに住む場所が確保できたことは大きい。様々な身の回りのものや食費などは侍女として働いていた時の給金があるし、何とかしばらくは生きていける。

後は、ベルナルドが帰国する一カ月後までに、ちゃんと身の振り方を決めればいいだけだ。

(それが一番難しいことかも知れないけど)

セルマの新しい日常が始まった。

朝起きて掃除洗濯をし、昼からは時間をもらって新しい住まいや職を探す。

年が明ければ二十五歳になってしまう、一度結婚もしている女。後見人もおらず、手に職があるわけでもない。

なかなか見つからない仕事を探している間、セルマは今まで自分がどんなに恵まれていたのかをしみじみと感じた。

母が亡くなったときは父が引き取ってくれたおかげで路頭に迷わずすんだし、その後もフレインと結婚して幸せな時間をすごすことができた。彼が亡くなって、シャルロットが侍女にと迎えてくれて――考えれば、苦労という苦労はしてこなかったかもしれない。

「周りに感謝しないと……」

マティアスも、本来次期王になるかもしれないライナスと怪しい噂になってしまったセルマを責めることはしなかった。周りの優しさにどれだけ感謝してもしきれない。

しかし、そんな慌ただしい日々の中でも、セルマの頭の中で一番多くを占めているのはやはりライナスのことだった。

ライナスは、今何をしているのだろう。

セルマが王城を去ってから今日で五日。エクレシア国からはそろそろ戻っている頃だ。王城に帰り、そこでセルマが暇をもらったと聞いた時、いったい彼は何を思うだろうか。

裏切られたと、怒るだろうか。それとも、どうしてと、悲しむだろうか。

こうなるまえに、きちんとライナスと話した方が良かったかもしれない。そんな後悔はあったが、顔を見て、その声で名前を呼ばれてしまうと、きっと弱い自分の心はそこで折れてしまう。

ライナスにとって負の存在にしかならない自分は、やはり出てきて正解だった。

日に何度も繰り返す自問自答に、明確な答えは出てこないままだ。

「今夜はそろそろ下がりましょうか」

仕える主が不在なので、屋敷の中の仕事もかなり少ない。早々に皆が私室に戻る中、セルマも間借りしている部屋へと向かう。

本当は空いている使用人部屋で良かったのだが、どうしてもこれだけは譲れないと、ベルナルドに以前セルマがここに住んでいた時に生活していた部屋に滞在するように言われた。

女主人が生活する空間は今のセルマにはあまりに贅沢だったが、使用人たちも勧めるのでありがたく使わせてもらうことになった。もちろん、部屋の掃除は自分ですべてしている。

………。

「？」

風呂に入り、少し涼もうと窓を開けた途端、外から何か騒がしい気配がした。

時間は夜更けとまでにはいかないがそれなりに遅い時間で、何より主人が不在の屋敷に訪れる客人はいないはずだ。

何か起こったのかと心配になったセルマは、寝夜着の上に肩掛けを羽織ってすぐに廊下に出た。

「何があったんでしょう」

「さあ」

廊下を歩いていくと、セルマのように寝支度をした使用人たちが何人も顔を見せている。セルマはリジィと共に騒ぎの元——玄関先へと向かった。

「……は、いるね？」

（……え？）

だんだんとはっきり聞こえてくる声。あまりにも聞き覚えがあるその声に、セルマの足は不意に止まる。

「セルマさま？」

振り返ったリジィに名前を呼ばれた時、

「セルマッ」

「お、お待ちくださいっ」

焦って止める使用人の声と足音が入り混じり、そして、

「！」

「どこで迷子になったかと思ったよ」

真っ直ぐにセルマを見るライナスの視線に貫かれてしまい、セルマは動揺に足をふらつかせた。

第六章

突然現れた第一王子、ライナスの姿に屋敷の中は騒然となった。しかし、一番驚いているのはセルマだ。

「どうして……」

どうして、ライナスがここにいるのか。

その次の言葉がどうしても出なくて、ただただ、目を丸くしてその姿を見ることしかできない。

その間にも、ライナスは主の留守を預かっている執事に向かって何か話し始めた。恐縮と警戒が混ざっていたその顔が、次第に晴れてくるのが見える。

それは、ライナスが差し出した書簡に目を落として完全に変化した。

「畏まりました」

そう言った執事が振り向き、

「セルマさま」

セルマの名を呼んだ。

同じ使用人なのだから敬称はつけなくていいと頼んだのだが、一度仕えた相手に無理だと、頑固な執事は今でも昔と同じようにセルマを呼ぶ。

「ライナス王子が、あなたにお話があるとのことです」

「わ、私に……」

「旦那さまもご承知とのことです。ライナス王子、すぐに部屋を用意させますので……」

ライナスが今夜泊まることを前提に話し始める執事を、彼はいいやと押しとどめる。

「私はセルマと一緒の部屋で休ませてもらうから」

「！」

その途端、その場にいた使用人たちの視線がいっせいに自分に向けられるのがわかった。

「……しかし、それは……」

いくら王子の言葉でもそれは簡単に頷けないと渋る執事に、ライナスは決定的な言葉を告げた。

「既に私はセルマに求婚している。私たちは婚約している間柄だ、部屋も一緒で構わないだろう？」

わあっと、静かな屋敷に歓声が沸き上がった。

「セルマさまっ、本当ですのっ？」

常に冷静なリジィが驚いたように尋ねてくる。

「王子とご結婚なんて！」

「おめでとうございますっ、セルマさまっ」

「おめでとうございますっ」

口々に告げられる祝福の言葉に、セルマの顔は強張ったままだ。

(どうして、話してしまうの？)

「今夜はもう遅い。突然訪問してすまなかったが、どうか皆もう休んでくれ」

そう言いながら、ライナスはゆっくりセルマの前へと歩み寄ってくる。

「セルマ」

優しい口調で名前を呼ばれても、見下ろしてくる目の中にある怒りに本能的な恐怖が生まれた。

ライナスは、彼の不在の間に王城から出て行ったセルマを怒っているのだ。

「案内してくれないか？　君の部屋に」

「……ライナス、さま」

そうは言われても、セルマの足はなかなかそこから動かない。その様子を見たライナスは、身を屈めて顔を寄せてきた。

「このままここにいる気なら、皆の前でくちづけするよ？」

耳元で囁かれた言葉は、決して脅しではない。ライナスならば必ず実行するのがわかるので、セルマはようやく頷いた。

「……こちらです」

皆の視線が背中に突き刺さる。しかし、それ以上に背後にいるライナスの存在が重くて大きい。

（どうして私がここにいることを知っているの……？）

シャルロットにも話していないし、そもそも、町中でリジィに会わなければこの屋敷に来ることはなかったのだ。本当に驚くほどの偶然で、元のフレインの屋敷に滞在することになってしまったのに、それをほんの数日で見つけ出したライナスの執念が恐ろしい。

「ああ、ここ」

「え？」

「君の部屋。そのまま使っているんだね」

部屋の前で立ち止まってしまったセルマの背後から手を伸ばしたライナスが扉を開き、そのまま押されるようにして中へと入る。

「！」

カチャッと鍵をかける音がして肩を揺らすと同時に、セルマは背後から強く抱きしめられてしまった。

「…セルマッ」

さっきまで余裕たっぷりに見えたライナスの、切羽詰まった声に心が跳ねる。痛いほど強い腕の力に、彼がどんなに必死なのか嫌というほど伝わった。

「……ライナスさま……」

「どうして出て行った？」

「……」

言えば、ライナスはマティアスを恨むかもしれない。我が子を思う父親の行動を非難できるはずもなく、セルマは無言で胸の前にあるライナスの手に触れた。

「ごめんなさい……」

「……わかっている」

「……」

「私の読みが甘かったせいだ」

「いいえ、ライナスさまは何も悪くありません」

初めから、セルマに対する想いをちゃんと告げてくれた。王座を捨て、セルマの手を取るとマティアスの前で宣言をしてくれた。

誠実で真っ直ぐな想いを向けてくれる彼に対し、自分がいつまでもはっきりしない態度をとり続けてしまったことだけが問題なのだ。

(拒絶をすれば良かった……)

身体だけしか許さないと、初めから宣言をすれば良かった。

ライナスばかりに荷を背負わせてしまった自分の愚かさに、セルマはただ謝り続けることしかできない。

ライナスはそんなセルマの罪悪感を見て取ったのか、するりと腕の中で身体の向きを変えて、真正面から顔を見つめられてしまった。

「……本当に、どうしようかと思った」

「……」

「私の言葉を信じてくれなかったのかと思うと、悲しかったよ」

「……っ」

それは違う。

ライナスの言葉は真摯にセルマの胸に響いたし、それ自体を疑うというのは考えてもみなかった。

セルマは臆病になっているのだ。もしも、もしも本当にライナスに手を伸ばして、その後に彼が去っていくことになってしまったら。

セルマを愛していても、結局国を捨てることはできないと告げられたら、きっとフレインを失った時以上の空虚を感じてしまうだろう。

フレインが亡くなった時はライナスがいたが、ライナスがいなくなった後、また誰かが側にいてくれるなんて幸運はあるはずがない。それならこのまま、想われているまま離れてしまった方が、この先己の拠り所になると思ってしまった。

(でも……来てくれた)

目の前に、ライナスはいる。

その彼を、もう一度拒否することはできそうにない。

たった数日間会わなかっただけなのに、会った瞬間心は乱れ、困惑と焦りと、それ以上の嬉しさで、セルマは胸がいっぱいだった。

＊　＊　＊

エクレシア国では、ライナスは冷静に、巧妙に話を進めた。

元々、この縁談の話はエクレシア国の方から申し込まれたもので、大国と縁続きになりたいエクレシア国と、豊富な鉱石の産出国との有利な交渉権を得たいオルグレイン王国の、互いの思惑が一致したうえでのことだった。

ライナスは、オルグレイン王国は長子継承ではなく、現王の指名制であること。

己はその権利を返上すること。

弟アレクシスが、本当にレイカを大切に思っていることを説いた。

エクレシア国としても、国の利益と同じくらいに王女レイカのことも大切らしく、将来レイカの産む子供がオルグレイン王国の未来の王となることで、ライナスの謝罪を受け入れることにしたらしい。

ライナスはわざわざエクレシア国に赴いた機会にと、数日かけて新しい商談をした。

オルグレイン王国の援助で、新しい鉱山を開き、産出が順当になってきた暁には優先的に良質の鉱物を輸出してもらうためだ。工事のやり方も、加工の技術も高い水準を誇っているエクレシア国だが、それに見合うほどの予算がたたない。

相手の矜持を折らず、かつ円滑に事業を進めるための話術を駆使して、次回の交渉では正式な契約を結べるだろうというところまで確認してからようやく、帰国の途についた。

もちろん、その間セルマのことが気にならないわけがなかった。ただ、己の我が儘で大国を背負う重責をアレクシスに押し付けることになってしまう以上、自分でできることはしてやりたかった。

エクレシア国に滞在中、セルマに付けていた護衛から、ライナスが旅立った二日後に彼女が王城を出たという連絡が来た。その時はさすがに、心臓を鷲掴みにされたような衝撃があった。

それだけではない。セルマが身を寄せたのがフレインの屋敷だったということに、どす黒い、怒りとも嫉妬ともわからない感情が嵐のように沸き起こった。結局、セルマはフレインのことを忘れていないのだと――もう勝つことは叶わない相手を前に、一瞬だけ彼のことを恨んだ。

だが、それもひと時のことで、ライナスは気持ちを切り替える。亡くなった相手と争うことはできないが、この先、フレインがセルマと共に生きた以上に一緒にいられるのは自分だけだ。

未来が、過去に、負けるはずがない。

同時に、もっと、もっとセルマを口説かなければならないという決意を固める。ライナスから逃げようと思わないように、ライナスと共に未来を生きようと思うほどに、しっかりとその身体も心も己のものにするつもりだ。

歳のせいか、それとも別の意図があったのかわからないが、フレインはセルマを抱かなかった。セルマの真っ白な身体を蕩かし、淫らに花開かせたのはライナスだ。貞淑なセルマがこの先、ライナス以外の男に身体を開くことは考えられない。

ちょうどよくエクレシア国に滞在中の、フレイン邸の今の所有者であるベルナルドとも連絡を取り、滞在する許可も得た。

すべての所用を終えたライナスは、帰国する時レイカを同行した。

結婚相手を辞すると告げ、新たな許嫁としてアレクシスの名前を出した時、レイカは驚きつつも、複雑な表情を浮かべていた。

その様子に、一気にアレクシスとの話を進めた方がいいと判断し、同行を求めたのだ。甘い兄だと、自分でも思う。それでも、これがオルグレイン王国第一王子としての自身の役目でもあるのだ。

帰国したライナスはすぐにアレクシスの従者であるルディを呼び、あらかたの経緯を説明した。

ルディはセルマが王城から出て行く前後のことを話してくれ、同時進行でフレイン家に滞在するセルマの報告も受けた。

自分が不在の間のことをすべて把握し、今後のことを考え、アレクシスに正式な許嫁の解消を伝えたライナスは、その後は自分で決めろと言った。ライナスが弟のためにしてやれるのはここまでだ。

そして、ライナスはようやく、セルマの目の前にやってきた。

「私の言葉を信じてくれなかったのかと思うと、悲しかったよ」

そう言うと、セルマは泣きそうに顔を歪める。セルマがどんなに悩んだかはわかるが、それでも、せめてライナスが帰国するまで待ち、相談してくれたら良かった。そうすれば、セルマの安心する言葉を告げてやれたのに。

「私……私……」

「……フレイン殿に、助けてもらいたかった？」

もちろん、そこにいない相手が現実に助けることはできないが、それだけ自分から逃げたかったのかと確かめる。

セルマは初め激しく首を振ったが、やがて顔を上げて真っ直ぐにライナスを見た。涙で潤んだ瞳はとても綺麗で、魅惑的だ。こんな時だというのに、セルマに対して肉欲を感じる自分が即物的で笑える。

「……旦那さまに、縋るつもりはありませんでした」

「……」

「でも……そう思われても、しかたありません」

「セルマ」

「ライナスさまの言葉が嘘だとは思いません。ただ、私に自信がないのです」

ふと零れた意外な言葉が、ライナスは気になった。

「自信がないって、どういうこと？」

「……ライナスさまに、愛される価値が……私に……あると思えないから」

考え、時折詰まりながらも何とかそこまで言ったセルマだが、反対にライナスは重い溜め息をつきたい気分だった。

足りないかもしれないじゃない。まだ全然、足りなかった。

言葉も、愛撫も、もうセルマが十分だと言っても、注ぎ続けてようやく、セルマは向き合ってくれるのだろう。

(即物的でも構わない、か)

まずは、お互いの気持ちをわかり合うまで話し合おうと思っていたが、その前に直接愛を身体に刻み付ける。

ライナスはセルマの両腕を摑んで身を離した。

「……」

拒絶されたと思ったのか、セルマの目からはぽろぽろと綺麗な涙が溢れ出る。

その涙を舌で舐めとり、ライナスは震える身体を抱き上げた。

「あっ」

「セルマ、自分に価値がないなんて言わないでくれ」

奥にあるベッドに向かいながら、ライナスは腕の中のセルマを見下ろして告げる。身体の震えがますます大きくなるのを感じながら、ライナスは言葉を続けた。

「いつからなんて、私にもわからない。一目見て恋に落ちたとか、そんな嘘も言わないよ。でもね」

鼻を赤くしているセルマの顔は、先ほど見た時はとても艶やかに見えたのに、今は子供のようで可愛い。

何を言われるのかと身構えている様子に笑い、ライナスはその鼻に唇を寄せた。

「愛しているよ、セルマ」

「！」

「フレイン殿を愛して、彼を見送って、健気に生きている今の君を愛している。だからセルマ、どうか君も、私のことを愛してほしい」

ベッドに下ろし、ライナスはそのまま首筋に顔を埋めた。どこか甘いセルマの体臭が鼻を掠め、ようやくこの腕の中に愛しい存在を取り戻したのだと実感する。

肩掛けを身体の下から剝ぎ取り、簡易な夜着の紐を解けば、薄い下着が現れた。

（綺麗な身体だ……）

セルマは己の体型を気にしているのか、身体を重ねる時には明かりを消したがるが、ライナスは多少嫌がっても明かりをつけて抱いている。むしろ、どこが隠す必要があるのかと言いたいくらいだ。

着痩せするのか、形が良く片手に余る胸を見た時には驚いたし、淡い色をした乳首も上を向いていて、まるでほころぶ前の清らかな花の蕾のようだった。

細い腰も、まろやかな尻も、薄い下生えも。想像していた以上で、ある程度経験があると思っていた自分の方が触れるのに緊張してしまった。

それから何度抱いても、まったく飽きることのない初心な身体は、抱くほどにライナスを虜にする。

「セルマ」

唇を重ねれば、条件反射のように触れた唇は薄く開かれ、ライナスはすぐに舌を差し込んで口腔内を弄り始めた。セルマはおずおずとだが反応を返し、遠慮がちに舌を合わせてくるのが微笑ましい。

最近はようやく慣れた深いくちづけも、まだ呼吸することには慣れずに息が上がることも多く、ライナスは反応を見ながら唇をずらして、下着の上から胸をまさぐった。

「……んっ」

「可愛いよ、セルマ」

「……やっ」

嘘だと言いたいのだろうが、結局小さく反論するだけだ。ライナスに信じてほしいと言われたばかりで、拒否することも躊躇《ためら》われるのだろう。こんな時でさえ生真面目な反応を見せるのが楽しい。

（本当に可愛いのに）

二歳差。

それを気にしているのは、むしろライナスだ。どんなに性技に長けていても、話術で負かしても、永遠にこの差は埋まらない。フレインは年上で自分は年下だと、子供っぽくこだわっている自分に呆れもするが、これはもう永遠に超えることができない宿命だと思うしかないと諦めている。

そして、絶対にセルマに知られるわけにはいかないとも。

セルマはライナスの愛撫を受け入れながら、腕を伸ばしてライナスの背をしっかりと抱いている。動きにくいが、求められているようで、この体勢は好きだ。

（……ここでは、セルマはいつも一人で……）

共に夜を過ごすことのなかったセルマとフレイン。そうすると、この屋敷でセルマを初めて抱くのは自分ということになる。なんだか背徳的な気分に余計に欲情は猛り、ライナスはセルマの足の間に強引に膝を割り込ませると、空いている手で下肢に触れた。

「……濡れてる」

「……っつ」

一瞬で、組み敷く身体が熱くなったのがわかった。

それればかりか、猛烈な羞恥を感じたらしいセルマが逃げようとしてしまい、ライナスは己の不用意な言葉を後悔する。何度身体を重ねても、セルマはまだ初心な少女と同じなのだ。

「私は嬉しいよ」

「ラ、ライナスさまっ」

「君が私を欲しがっている証だ。それに……ほら」

ライナスは意識的に自身の下肢を押し付ける。自分でもわかるほどに勃起していた。

「私もこんなに、君を欲してる」

何を言おうとしているのか、薄く開いた唇をライナスは己の口で塞いだ。


肌の隅々まで舌を這わせる。風呂に入ったばかりらしく、セルマの味がしないのが残念だ。

「わ、私、も」

「ん？」

乳首を口に含んで舌を絡めていたライナスは、ゆるく髪を軽く引かれて顔を上げた。

「私も、します」

「……ああ」

最初に教えてもらうという形にしたせいか、セルマは時折思い出したように主導権を握りたがる。熱に浮かれ、我を忘れている時はそんなこともないので、今はまだ本人の理性が残っているのだとわかった。

それはそれでライナスも楽しめるので頷くと、セルマはゆっくりとした動作で身体を起こし、ライナスにくちづけをしながら服を脱がし始めた。

『待っている間、唇が寂しいから』

そう言ったライナスの欲求を叶えるために、指を動かしながらも何度も唇を合わせてくれる。時折、それが頬や唇の端にずれてしまうのも楽しみながら見つめていると、セルマの手はシャツを脱がし、肌着を引っ張って、ライナスは上半身裸になった。

「……」

じっと見つめてくるセルマの目が、感嘆するような熱を帯びているのがくすぐったい。一応、それなりに鍛えているし、この身体をセルマが気に入ってくれているとしたら嬉しかった。

次に、セルマの指は下肢に下りた。ズボンの帯革を引かれ、釦を外して前を寛がされると、浅ましく興奮した陰茎が下着から顔を覗かせていた。

「あ……」

自分でもここまで興奮しているとは思わなかったが、これほど明確な身体の変化を見られた方が、かえって言葉で説明するよりも早いと考える。

「続きは？」

欲情の証を目の当たりにして固まってしまったセルマにからかうように言うと、ハッと我に返って指が伸ばされた。

（そういえば、初めてだったな）

今まで、ライナスの方がセルマの身体を貪るのに夢中で、セルマからの愛撫を要求しなかった。奉仕されるよりもする方が楽しいし、セルマに無理を強いたいとは思わなかったのだ。

だが、ここで、セルマの方から奉仕をされるというのも意味がある。

できるだけ陰茎に触れないよう、恐る恐るズボンを脱がせようとしているのを見ながら不意に思いついたライナスは、その手を摑んでいきなり自分のものを触らせた。

「やっ」

「嫌？」

わざと悲しげに言えば、セルマは焦って首を振る。

「ち、違います、あの、だって」

「こんなふうになっているの、セルマのせいだよ？」

「わ、私の？」

「ああ。だから、セルマが慰めてくれないかな」

言葉では優しく、しかし、逃げようとする手を少し強引に押さえると、セルマは耳まで真っ赤にしながらもおずおずと手を動かし始めた。

起立した陰茎に沿うように、ただ上下する手のひら。先端から滲む先走りの液を伸ばすようにと言えば、素直にその通り愛撫を続けた。

上手いとはいいがたい。それでも、セルマが己のそこに触れているだけでも腰にきた。

（……セルマも）

愛撫を施しているのはセルマだが、見下ろしていると腰が僅かに動いているのがわかる。たぶん、自分の行動に自分で興奮しているのだ。ライナスは口元を弛めて、尖った乳首を指先で摘まんだ。

「んっ」

セルマはぴくっと身体を引こうとしたが、

「そのまま」

ライナスは言葉だけで止める。

「手が動いていないよ？」

興奮して硬くなっているそれをからかうように抓《つね》れば、慌てたように手の動きが再開された。しかし、ライナスの指が気になるのか、どうしてもその動きは途切れがちになる。

そろそろ意地悪はやめようかと思った時だった。

突然、陰茎が熱いものに包まれた。

「……ぅっ」

それがセルマの口の中だということに驚いたが、本人はライナスからの刺激を忘れようと必死になっているのか躊躇った様子も見せない。竿に舌を這わせ、唇で食んで、必死に奉仕をしてくれるセルマに、ライナスの忍耐も途切れた。

「……っ」

視界の刺激は強烈だ。

強引にセルマの口からそれを引き出した瞬間、精液はセルマの胸元へと勢いよく飛び散る。

「！」

突然の射精に目を丸くして動きを止めてしまったセルマは、きっと自分がどんなにライナスを興奮させたのか自覚はないだろう。情けない自分に呆れながら、ライナスは自身の脱ぎ捨てたシャツを取り、セルマを汚した精液を拭き取った。

「情けないな」

「あ……の」

「気持ち良かったよ」

正直に告げると、セルマはようやく笑みを浮かべた。しかし、次第にその笑顔は固まり、ぎこちなく視線を外された。ここにきてやっと、自分が何をしたのか自覚したらしい。気づくのが遅いが、それがセルマらしい。そのままゆっくりと離れようとする身体を逃すはずもなく、ライナスは腕を掴んで唇を重ね、こじ開けた。

「んぅっ、ん〜っ」

珍しく、セルマは首を振ってくちづけを解こうとした。今さっきまで自分の唇がライナス自身を咥えていたせいだろう。

セルマの唾液と混ざったそれを残らず舌で舐め取り、ライナスは改めて自身の唾液を注ぎ込む。喉を鳴らして嚥下したセルマを褒めるようにくちづけをしたライナスは、今度は自分の番だと彼女を仰向けに押し倒した。

足を抱え上げて下肢を見ると、薄い下生えまで濡れているのが見える。思った通り、ライナスを愛撫している時に自分まで感じて、愛液が滲み出たようだ。ライナスは顔を近づけ、明かりに輝くそこに舌を伸ばした。

「あぁんっ」

硬く閉ざされた秘唇を割り開くように舌を動かすと蜜はとめどもなく溢れ出てきて、何度も舌ですくったが間に合わない。

しかし、これだけ濡れていれば痛みもないだろうと、ライナスはそっと指を押し入れてみた。初めは抵抗があったが、すぐに一本、根元まで中に入れることができた。

「んっ……はぁっ」

甘い声が上がる。

ライナスはセルマの表情を慎重に見ながら、中の指を動かし始めた。内襞は中まで蜜で濡れていて、窮屈だが動かせないほどでもない。いや、まるで陰茎を入れた時のように指に絡みついてくる心地よい刺激に、早くこの中に押し入り、甘い肉を貪りたいと心が逸った。

もちろん、セルマの身体を傷つけることは絶対にしたくないので、ライナスはしつこい

くらいねっとりと愛撫を続ける。狭い入口を押し広げながら、何度も浅く指を出し入れし、中の襞が指に絡みつき始めると、根元まで押し込んだ。

熱くまとわりつく肉襞の感触を味わえば、指を伝って蜜が溢れてくる。

「ん……ぁっ」

ライナスはその蜜をすくい、再び中へと入れ、指の動きを速めた。視線を上げれば、勃ち上がった乳首が揺れているのが見え、空いた手を伸ばして摘み上げると、中の指がさらに締めつけられる。ここには香油も、それに代わるものもないので、自身の舌で唾液で、セルマの身体を解していった。

「あ……っ、んはっ、あっ」

指が入っているそこに舌を這わせ、唾液を注ぐ。薄紅色だったそこは色濃く火照り、セルマの声も高くなってきた。

中にいれた指を一本から二本に増やしても、声の中に苦痛の色はない。すっかり蕩けきったのを確認し、ライナスは下肢から顔を上げた。

「セルマ」

「ラ、ライナス、さまっ」

訴えるように向けられる、涙に潤んだ瞳。それが悲しみの涙ではなく、快感から零れているのが嬉しい。

ライナスは己の陰茎を数度擦りあげた。既に支えなくてもすっかり育ったものは、早くセルマの最奥を感じたいと滾《たぎ》っていた。

我ながら卑猥で、凶悪な性器。これを、綺麗なセルマの中に押し入れてしまうのは、彼女を汚してしまうという妙な感覚さえある。それでも、互いに感じ合い、高め合って、お互いの体液で互いを汚せば、もっともっと一つになれる気がした。

綺麗なだけの愛なんてないのだ。

苦しみも妬みも、そして欲情も、すべて混ざり合ったものが愛だと、セルマを愛するようになってようやくわかった。今まで、ただ快楽だけを求めて身体を重ねたことなど、この生々しい感情に比べたらほんの遊びでしかなかったと思い知らされるのだ。

（この先も、私だけを求めてほしい）

セルマの心も身体も、手に入れるのは自分だけでありたい。

指を引き抜けば、セルマもライナスの次の行動を待ってさらに足を広げた。指を含んでいたそこは陰茎の切っ先を押し当てると、柔らかく開き、迎え入れてくれる。

「ん……あっ………あぁっ」

先端がめり込んだ瞬間、狭いと感じた。痛みに近い感覚はセルマにもあったようで、感じるばかりだった顔が苦痛に歪んだ。しばらくは馴染むまで待ち、僅かずつ開く中の強烈な締め付けを感じながら、ライナスは徐々に腰を沈めていった。

この瞬間が、たまらなく気持ちがいい。摑んだ腿を撫で上げ、柔らかな胸を揉みしだいて、興奮を高めてやりながら、もっと奥を味わう。

「力を抜いて」

「は……い……ぃっ」

「……熱い、な」

「あ……やぁんっ」

「セルマの中は気持ちが良い」

熱くて狭い中は、蠢《うごめ》きながらライナスの陰茎を絞り込む。ただ入れているだけでも気をやってしまいそうなほど心地良くて、早くそれ以上の快感を得たいと思った。

顔を近づけ、唇を重ねてそろりと腰を揺らせば、細い足が腰に巻きついてくる。徐々に動きを強くしていきながら、ライナスはぐっと腰を押し付け、間もなく、鈍い、肉体がぶつかる音がした。

お互いの荒い息づかいと、淫らな水音。会話などしていないのに、これ以上なく互いがわかり合えている気がする。

根元まで陰茎を入れたライナスはまたしばらくそのまま動きを止めて、セルマが中の存在に馴染むのを待った。ライナスにとってつらい時間だったが、どうやらそれはセルマも同じだったようで、焦れたのか甘く啼きながら、催促するように背中に回した手に力を込めてきた。

少しも痛くないが、そろそろライナスも我慢ができなかった。

「んあっ」

軋《きし》む中を、少し強引に押し入った。

根元まで埋めたそれを半ばまで引き抜き、再びそれを沈める。角度を変え、擦りあげる内襞の場所を変えた。もう何度も抱かれているセルマも、ぎこちなくだが自身の感じる場所に当たるように腰を動かしている。

繰り返しているうちに互いの動きが同調し、見る間に高まっていった。

「わ、私……っあぁんっあ……やぁ……っ」

セルマが泣きそうな声を上げて身体を反らした。その拍子に陰茎を取り巻く内襞が締まり、彼女が気をやったのがわかる。少し遅れて、ライナスもその最奥へ熱い精を叩き付けた。

「あ……ぁ……」

セルマの中を満たす大量の精液。これがもしかしたら、新しい命の始まりになるかもしれない。

ライナスは初めからセルマと添い遂げるつもりなので、むしろ早く孕めばいいのにと、吐き出したものをセルマの中にすべて塗り込むように陰茎を動かしながら、汗ばんだ身体を抱きしめ、何度もくちづけを繰り返した。

愛情の確認は一度で終わらなかった。

ライナスはしばらく余韻に浸るようにセルマの中にとどまっていたが、やがてゆっくりとそれを中から引き抜いた。

セルマの目には、白い糸を引いて中から飛び出したものが見えているはずだ。まだまったく萎えていないそれは、セルマの蜜と精液を纏わりつかせた卑猥な姿をさらしている。浅ましいが、愛し合った確かな証拠だ。

そして、ライナスはセルマの身体を横たえ、腰を引き寄せると、今度は背後から己のものを突き刺した。

「んうっ」

セルマの中はようやく蕩け、心地良くライナスを締め付けながら刺激する。

背後から獣のように貫いていると、自分が絶対的な支配者になっている錯覚に襲われるが、間違いなくセルマもライナスを貪っていた。ライナスの動きに合わせて腰を振り、陰茎が擦りあげてくるごとに縋りつき、絞ろうと中は蠢いた。貪欲に食われているのを感じ、嬉しくてたまらない。

「ライナス、さまっ」

シーツを握りしめている手に、快感を耐えるかのように力が込められるのが見える。

折れそうに細いうなじから背中、豊かな腰が淫猥に震えた。

気持ちが良くて、それ以上に愛おしくてたまらない。もっともっと愛したいし、愛してほしい。

「セルマッ」

ライナスはセルマの手に己の手を重ねて力を込めた。次の瞬間腰が戦慄《わなな》き、密着させたまま再び中に射精する。腰が蕩けそうだ。

「……セルマ、言ってくれ」

「あ……ふ……」

「欲しいと言って」

求めているのが自分だけではないと、言葉でもちゃんと言ってほしい。

汗と涙で濡れている頬を舐め上げて懇願すると、放心していたセルマの眼差しがゆらりとこちらに向けられた。

「……」

「セルマ」

視線が合い、セルマが笑んだ。こんな時なのに、出会ったころの、あの無垢な笑顔がそこにある。

「……好き……」

呟くような声に、ライナスは息をのんだ。

「君は……」

「あなた、が、好き……」

それが、初めてセルマに言われた愛の言葉だった。

自ら何度も告げて、その想いに微塵《みじん》も揺らぎはなかったが、セルマの気持ちはずっと気になっていた。嫌われていないと思っていても、好意は感じていても、それが自分と同じ欲情を含んだ想いなのかどうか、自信がなかったのだ。

意識しているのかどうかわからない。だが、それが無意識からの言葉だとしても、セルマが自分を想ってくれているのだと思うと、ライナスの中で熱いものがこみあげてきた。

情欲とは正反対のところにあるその感情をどう説明していいのかも思いつかないが、ライナスはようやく手に入れた大切な存在を恐る恐る抱きしめる。散々淫らなことをしたばかりだというのに、触れるのが怖かった。

「セルマ……」

「……」

「セルマ……ッ」

セルマもライナスの腕を抱え、力は入らないようだがちゃんと抱きしめ返してくれる。

その時、セルマの中に入ったままの陰茎がピクリと反応した。

(……まったく……)

自分の浅ましさに呆れた。もう十分気持ちは満たされたのに、身体の飢えには限界がないらしい。

「……は……んぅ」

ライナスはもう一度セルマを仰向けに戻し、しっかりと抱き合う。中のものがまた突く角度を変えたようで、セルマは微《かす》かに喘いだ。

「すまない」

セルマはもう疲れて解放されたいだろうが、ライナスはまだ足りなかった。それまでの欲を高める動きではなくゆるりと、熱さを確かめるように中を味わいながら抽送を繰り返し、くちづけのし過ぎで赤く腫れた唇を舐めた。

その刺激に健気にも応じようと舌が覗き、ライナスはセルマの反応に目を細めながら吸った。

「ふ……ぅん」

唇を離し、揺れる乳房を揉み上げて舌で愛撫する。すると、また中が締まった。

「……っつ」

眩暈がしそうな快感に、ライナスは理性を手放した。


幾度《いくど》となく交わり、もう何度かもわからない精をセルマの中で吐き出した。

ようやく猛りが収まった時には、セルマは気を失ってしまった。

慣れない場所で多少手間取りはしたものの、ライナスはセルマの身体を清め、ベッドも綺麗にして、改めて寄り添って横たわる。

「……」

セルマは小さな応えをして、ライナスの身体にすり寄ってきた。そのしぐさに頬はだらしなく緩み、ライナスは深くセルマを抱き込んだ。

抱き合っている時ももちろん、こんな時にも側にいるのだと強く感じる。自分の隣で何も考えずに眠れることが、深い信頼に繋がっていると思うからだ。

（……向こうが、どう出るかだな）

熱が冷めると、色々なことが頭の中を駆け巡る。

セルマを追うようにして王城を出てきたが、このまま何もなくすむはずはない。きっと、父はライナスと連絡を取ろうとしてくるだろうし、そのためにセルマにも接触する可能性もある。

もちろん、ライナスも何も考えずに行動しているわけではないので、相手のとってくる手段に応じて行動をとればいいだけだ。

「……さま……」

「セルマ？」

今呼んだのは誰の名前だったのか。

それが自分だったらと思いながら、ライナスは温かな身体を抱き込んで睡魔の誘いに目を閉じた。

第七章

「掃除のし甲斐があるね、ここは」

「あ、あの」

「あの木の枝も伸び過ぎじゃないか？　梯子《はしご》があれば私が切ってもいいんだけど」

「あのっ」

「ん？」

機嫌よく窓の外を見ていたライナスは、ようやくセルマの呼びかけに振り向いてくれた。

先ほどから聞こえていたくせに、まるでわざとかと思うほどに話し続けていたライナスを、セルマは呆れたように見る。

「本気ですか？」

「何が？　木登りは得意だよ？」

「違いますっ」

思わず声を上げてしまい、セルマはハッとして口を閉ざした。

ここはセルマの部屋で、自分とライナス以外の姿はない。それでも窓を開けているので、大きな声を出せば聞こえてしまうかもしれなかった。この国の王子さまが木登りをするなんて絶対にあってはならないことだ。

（そうでなくても、みんなライナスさまに興味があるのに……）

突然屋敷に現れたライナスの存在は、翌朝には夕べ起きてこなかった使用人たちにも知れ渡っていた。

本当なら何らかの説明をしなくてはならなかったセルマは、久しぶりの性交に精も根も尽き果て、予想以上に寝坊してしまい、その間にライナスが勝手に執事と話して、しばらくの滞在を決めてしまった。

それればかりではない。その間、自分も使用人同然として扱ってほしいと言い出したらしく、セルマが気づいた時には掃除をしていたのだ。

そんな彼の腕を引っ張ってたった今部屋に連れ込んだが、話を聞けば聞くほど呆れてものも言えなくなる。

「……ライナスさま」

「ん？」

にこやかなライナスの顔に一瞬言葉に詰まったが、すぐに気持ちを立て直した。

「掃除はやめてください」

「どうして？」

「ライナスさまにそんなことをさせられません」

「でも、今の私は第一王子ではない、ただの一国民だ。できることからしたいと思うのはそんなにおかしいことではないだろう？」

「だ、だから、それを考え直してくださいっ」

セルマが告白してから、ライナスは目に見えて上機嫌だ。その原因が自分だというのはとても気恥ずかしいが、ここまで喜んでくれるのなら、もっと早く自分の気持ちを見つめて答えを出せば良かったと思うくらいだ。

（でも……）

ライナスが自分を追いかけてくれて、ここまで来てくれたのは正直に言って嬉しい。ただ、その気持ちと、ライナスが王子としての地位を放棄するのはまったく別の話だ。

揺れる瞳にセルマの憂いを感じ取ったのか、ライナスはそれまでとは口調を一変させてはっきりと言った。

「だから、それは話しただろう？　私は君を、セルマを愛している。君以外の女性と結婚する気はまったくないから」

「ライナスさま……」

レイカとの結婚の話はなくなってしまったかもしれないが、ライナスが王子である限り結婚の話は避けられない。そして、それはセルマであってはならないのだ。

再婚であるセルマと結婚すれば、ライナスは完全に王になる道が閉ざされてしまう。いくらライナスが望んでくれても、それが自分のためだと思うと恐れ多くて、怖くて、どうしようもなく大きなものを背負わされる気がしていた。

「……私は……」

今更、自分の気持ちをごまかすことはできない。ライナスにも、この想いはわかっているのだろう。

それならば、もう一つだけ方法はある。

（……結婚、できなくても……）

結婚はしかるべき相手として、妾妃《しょうひ》、いや、愛人として時々愛してもらうことはできる。亡くなった母と同じ立場になるのかと思うと複雑な思いだが、ライナスはきっと、父が母を捨てたようには、自分を捨てたりはしないと思う。

それほど、愛されているのはわかるからだ。

「セルマ」

この考えをライナスに説明して、彼が理解してくれたらまた事態は動く。ライナスをこのままここに縛り付けるわけにはいかないとわかっていたが、セルマは話を切り出すのを躊躇った。

そうしようと、ライナスが頷いてしまうのが怖いのだ。

俯いて黙り込んでしまったセルマを、歩み寄ってきたライナスが抱きしめた。

「君は周りのことを考え過ぎだ」

「え……？」

「もっと我が儘になっていいんだよ？」

（……十分、我が儘だもの……）

ライナスの愛を受け入れた時点で、自分は十分我が儘だ。本当ならば一刻も早くライナスを王城に帰さなければならないのに、もっと側にいてほしいと思っている。ライナスは、狡い自分のことを知らないのだ。

「何も仕事をさせてくれないのなら……そうだな、一緒に教会に行こうか？」

「教会？」

「そう。私たちが初めて会った、あの教会」

唐突な申し出にすぐに頷けないでいると、ライナスはセルマの頭にくちづけを落としながら尋ねてきた。

「つらい？」

フレインのことを思い出すのかと言われたようで、セルマは何も答えずに視線を伏せる。

つらい、というのとは違うが、少し複雑な気持ちがするのは確かだ。

（どう……なのかしら）

あの場所にはどうしてもフレインとの思い出が多いし、そんな場所にライナスと共に行ってもいいのだろうかと後ろめたい気がする。

ライナスはどう思っているのかとちらりと顔を上げると、ちょうど自分を見下ろしている彼と目が合った。

「ん？」

ライナスの表情だけではどう考えているのかはわからなかったが、これで嫌だと自分の方から拒否するのもなんだか違う気がした。そうして、反対に気になっていると思われてしまうことも怖いのだ。

どうしていいのか迷ったまま部屋を出ると、ちょうどリジィと出会った。そこには彼女だけではなくもう一人召使がいて、その手に大きな荷物を持っていた。

「ライナスさま、お荷物はセルマさまのお部屋にお運びしてよろしいのですね？」

「ありがとう。私も手伝うよ」

「いいえ、雑事は私たちの仕事です」

「あ、あの」

「はい？」

交わされる言葉に少し不安を感じてセルマが口をはさめば、いっせいにこちらを見られて言葉に詰まる。それでも疑問のまま放っておけないので、セルマはライナスの顔を見上げながら尋ねた。

「お荷物って、ライナスさまのものですか？」

「急いでまとめたからあまり数はないけどね」

「そんな……」

大きめの鞄を見れば、それが数日分以上のものであるのはすぐにわかる。滞在すると言っても、二、三日くらいだろうと勝手に考えていたセルマの予想は、そこで大幅に崩れてしまった。

（こんなに用意して来られていたなんて……）

これほどの荷物を持ち出すのに、気づかれなかったわけがない。そして、ライナスはこそこそとする性分でもないはずだ。

これだけでも、王や王妃だけでなく、王城にいる者たちに知られても構わずに出てきたのだと見当がつく。こんな大国の王子が、たかが使用人の一人を追ってきたなんて、今王城の中で広がっているだろうライナスの評判を思うと眩暈がしそうだ。

せめて、部屋は別の場所をとリジィに頼もうとするが、リジィはセルマとライナスが同じ部屋に寝泊まりするのを当然だと考えているようだ。

むしろ、重要な秘密を自分たちだけが知っているのだと、張り切っているようにも見える。

夕べの玄関先での宣言はそれほど威力があったというべきか——どちらにせよ、今からセルマが否定して回るのはとても無理のようだ。

「いい天気だね」

「……はい」

馬車ではなく、歩いて教会に向かった。

王族ゆえ、徒歩では滅多に移動しないライナスは、ただこうして歩いているだけでも楽しいらしい。

王子だとわかって騒動になったらと危惧したが、実際に王族と謁見できるのはごく限られた人間だけだし、祭りなどで姿を現してもはるか遠くに見えるだけだ。

出回っている絵姿も瓜二つとまではいかないので、案外誰にも知られる気配はなかった。

それでも、まとっている雰囲気は独特で、品のある物腰など隠すことはできない。

「そういえば」

「え？」

不意に思い出したかのようにライナスは言った。

「君はいつも、フレイン殿の少し後ろを歩いていたね」

「……そうでしたか？」

意識していたわけではないので、そう言われてもあまり思い出せない。だが、ライナスはセルマが思っている以上にあのころのことを記憶しているらしく、そうだよと笑いながら頷いた。

「フレイン殿を、まるで後ろから支えようとでもしているようだったし、控えめで、おとなしいなと思っていた。私よりも年下に見えていたしね」

（……懐かしい……）

そういえば、ライナスはあのころから大人びていたし、シャルロットやアレクシスを守ろうと心を配っていたように思う。

考えれば、あんなに昔から知っていた相手と、まさか身体を重ねることになるとは考えもしなかった。もっと言えば、フレインが自分を置いて亡くなるということも、あの時は考えていなかった。

「セルマ」

言葉と共に突然手を握られ、セルマはハッと我に返って振り解こうとする。しかし、しっかりと摑まれた手はまったく離れることはなかった。

「ラ、ライナスさまっ」

こんなところを見られたらどうするのかと焦るが、ライナスは繋いだ手をそのままに呑気に歩き始めた。

「私は、君と一緒に歩きたい」

握られた手に、さらに力が込められた。

「私と君は、同等だ」

言葉の響きは優しげだったが、どこかそこに強い意志を感じた。フレインとの結婚生活は、常に彼に先導してもらい、守られてきたし、それをライナスも見てきた。

そんな彼が、改めて言う《同等》という言葉に、セルマは思った以上に深く心を揺さぶられる。

（ライナスさまと、一緒に……）

自分の立場をわきまえなければと、何度も己に言い聞かせていた。

どんなに好きでも、ライナスのことを思えば、日陰の身に甘んじてもいいと覚悟をしたつもりだった。

それでも、まるでセルマの頑なな意志を柔らかくしてくれるかのようなライナスの言葉は、じわじわと静かに、確かな響きでセルマの心に届いた。

「……」

セルマは握られている手を見つめる。しっかりと摑んでいるライナスの手は、フレインのものよりも大きくて力強い。

少しだけ、セルマの方からも力を込めて握り返してみた。すると、一瞬だけ間をおいて、さらに力が込められるのがわかる。

週末ではなかったので、教会に祈りに来ている者は疎らだった。当然だが、祈りを捧げる神官は当時の者ではなかったし、手入れをされたのか内部も少し変わっていた。

フレインが亡くなって王城に上がってからは、シャルロットと共に王城の敷地内にある神殿で祈りを捧げるようになったので、ここに来るのは二年以上ぶりだ。

「セルマ」

ライナスに促されて椅子に座ったセルマは、目を閉じて静かに祈りを捧げる。心を無にしなければならないのに、やはりどうしても隣にいるライナスのことが気になってしかたがない。

（ライナスさまは、何を考えているんだろう……）

本当に、このまま自分と共にいるつもりなのだろうか。

今はベルナルドの厚意に甘えて屋敷に滞在しているが、彼が帰ってくるまでには新しい仕事と住まいを探すつもりだった。当然、今までとは比べものにならないほど清貧な生活をしなければならないと覚悟もしている。

そっと顔を上げて隣を見ると、ライナスは目を閉じて祈っていた。その横顔には焦燥も迷いも見えない。

それが覚悟を決めている者の顔だとすれば、今の自分はどんな顔をしているのだろう。あからさまな迷いが表情に出ていたら、それこそライナスに失礼だ。

しばらくして、ライナスは顔を上げるとセルマを見下ろしてきた。とっさに目を閉じようとしたがうまくいかず、結局視線を向けていたことを知られて笑われた。

「出ようか」

「は、はい」

外に出ると、何人かの幼い子供たちが駆け回って遊んでいる。その中の一人がライナスの足にぶつかって尻もちをついた。

「わぁ！」

「大丈夫かい？」

「……うん」

　ライナスがその場に屈んで子供に話しかけると、その子は目を丸くして身なりの良いライナスを見ている。ただ、王子だとはわからなかったようで、にこやかな顔に良い人だと判断したのか、反対にライナスの手を引っ張って一緒に遊ぼうとねだり始めた。周りにいるのがお年寄りばかりなので、若いライナスを良い遊び相手だと目を付けてしまったのかもしれない。

「セルマ、これを持っていて」

「ラ、ライナスさまっ？」

　上着を渡したライナスは、焦るセルマに向かって言った。

「少し付き合ってくるよ」

　止める間もなく、何人もの子供たちと遊び始めるライナスを見ることしかできないセルマに、通りかかった初老の夫婦が立ち止まって話しかけてくる。

「ご主人、子供好きな方なのねえ」

「え、ええ」

　確かに、ライナスは面倒見が良い。幼いころのアレクシスの面倒も良く見ていたし、レイカのことも気遣っていた。もちろん、身内だからということもあるだろうが、目の前の光景を見ると、本当に子供好きだということがわかる。

（……お子さまが生まれたら、きっと良いお父さまになられるわ）

フレインとは子を授かることはできなかったが、ライナスとだったら――。

そう思って、セルマは慌てて頭を振る。そんなことを考えてはいけないのだ。

泥に汚れた子供に抱き付かれ、服を汚したライナスがその子供を抱え上げる。その笑顔が眩しくて、セルマは手に持っている上着を強く握りしめた。


ライナスとベルナルドの屋敷で生活をするようになって十日が経った。

その間、ベルナルドからの手紙を受け取り、ライナスと共に心行くまで滞在してほしいとの主旨が書かれていたことを、本当にありがたく思った。

それでも、あと半月もすればベルナルドは帰国する。それまでに、早く今後のことを決めなければと気持ちは急いた。

一刻も早く新しい仕事や住まいを探したいが、ライナスが屋敷にいると彼を一人だけにするのは躊躇われた。基本的に何でも自分でできる人だが、王子の手を煩わせてはいけないという思いは強い。

そうなると、必然的に一緒にいる時間が多くなってしまい、外出する間がなくなってしまうという日々が続いていた。

セルマが気になっているのは己の身の振り方だけではなかった。

「後は、葡萄酒ですか？」

「はい、お願いします」

酒屋を見送ったセルマは、注文に忘れたものを思い出して裏門に急いだ。まだそこにいるはずだ。

しかし。

「！」

門を開けようとした時、目に入ってきた光景に慌てて身を隠す。少し離れた場所で、ライナスが誰かと話しているのが見えたからだ。

（あれは……）

三人いた男たちの中の一人に見覚えがあった。確か、宰相の雑事を引き受けていた役人の一人だ。

「王子っ」

それまで話し声は聞こえなかったが、興奮したのか一人が声を上げてライナスの名を呼んだ。

「いつまで我が儘をなさっておいでですか。早く王城にお戻りくださいっ」

「……っ」

恐れていたことが現実になった気がした。彼らは、ライナスを呼び戻しにきたのだ。

ライナスが自分の居所をすぐに探し当てたことも驚いたが、王城の者がライナスの行方に見当がつかないのはおかしいと思っていた。国外に出ているのならまだしも、ここは都だ。それに、ライナスが自分の後を追ったことを知っていたら、まずフレインの屋敷だったここから当たりを付けるのは当然だろう。

　今の役人の言葉から察して、彼らがここに来たのは初めてではないようだ。だとしたら、ライナスは何回か既に説得を受けているということだろう。

（全然……わからなかった）

　常に側にいたつもりだが、そんな素振りはまったく感じ取れなかった。それだけライナスの感情の制御が卓越していたということかもしれないが、一方で自分には相談もしてくれなかったというもやもやとした感情が胸の中に渦巻いた。

　ライナスがどう行動しようとそれは彼の自由だし、セルマ自身彼は王城に戻るべきだと思っている。それでも、こうして側にいるのだ、良い助言ができるかはわからないが、それでも何か言ってくれても良いのではないか。

　役立たず。そう思うと、ますます落ち込んだ。

　結局、逃げるようにその場から立ち去ったセルマは、戻ってきたライナスに対してどうしてもぎこちなく接してしまう。

　それに関してライナスが何か言おうとするごとに逃げ出していたが、それがいつまでもうまくいくわけがなかった。

「……」

風呂から出て部屋の前で逡巡していると、突然中から扉が開いて腕を掴まれる。驚く間もなく中に引っ張り込まれたセルマは、そのままライナスに抱きしめられた。

「ラ、ライナス、さまっ」

「私が何かした？」

セルマは息をのむ。

「お願いだ、セルマ。自分一人で結論を出すのはやめてくれ。君の側には私がいると、それだけはちゃんとわかっていてほしい」

「ライナスさま……」

ライナスは、なぜセルマが彼を避けていたのか、その理由を尋ねてこようとはしなかった。それがかえってセルマの気持ちを波たたせ、どうしようもないうしろめたさに息苦しくなる。

セルマが勝手に考え、悩んでいるだけで、ライナスの責任はまったくないのに、彼の方が頭を下げるのはおかしい。それほどに気落ちしているということだと思うと、セルマは己の行動を後悔した。

抱きしめてくるライナスの腕の力はどこか弱く、このままセルマが胸を突けば拘束は解けてしまいそうだ。そこまで気弱になるほど、自分の行動はライナスに衝撃を与えたのかと思うと、黙っていることに意味がないように思えた。

「……見たんです」

「見た？」

「……王城からの、お使い……。みなさん、あなたを迎えに来られたのでしょう？　それに、これが初めてじゃなかった……そうですよね？」

ライナスは何と言うだろう。きちんと事情を話してくれるだろうか、それともごまかそうとするだろうか。

ライナスの腕の中で緊張して待っていたセルマだったが、

「……ライナスさま」

逞しい身体が震え始めたのに焦った。もしかしたら、自分はライナスを傷つけてしまっただろうか。逃げずに、もっと早くちゃんと向き合っていたら良かったのかと、セルマは自分からもライナスを抱きしめた。

しかし、しばらくして頭上から聞こえてきたのは押し殺したような笑い声だ。

「……え？」

どうして笑っているのだろう。

「やっぱり、そんなことだったか」

「え？」

くるりと体勢を変えられ、セルマは壁に身体を押し付けられた。

「……え……」

見下ろしてくるライナスの顔は笑っている。泣いているのかなんて思ったことがあまりにも見当違いで、理解するのに時間がかかってしまった。

「私の言葉をちゃんと聞いていた？　私は君を愛している。そんな君といることが私の幸せだと、どうして自信をもって側にいてくれない？」

ライナスは頬に手を滑らせ、唇を指で掠めながら手を止める。答えを望んでいるのに口を開くことを止めているような相反する行動に、ライナスの中でも混乱しているのではないだろうかとふと、考えた。

「セルマ」

囁かれ、唇を重ねられる。

「セルマ」

もう一度名前を呼ばれ、今度は首筋に顔を寄せられ、鋭い痛みが走った。噛まれたのだ。ライナスはそこを舌で舐め上げながら、手は胸元を弄る。薄い夜着のせいで、その感触は生々しく伝わった。

明確な意図をもって触れられると、この手に慣れた身体は浅ましくも感じてしまう。今だって下肢に熱が集まって、立っていられないほど足に力が入らなくなった。

「……ん」

とうとうその場に座り込んでしまうと、ライナスも腰を屈めて同じ目線でセルマを見つめてくる。

「……君が考えていることはわかっているつもりだ。私も、いい加減決着をつけなくてはいけないと思っている」

「……」

「だから、セルマ、私を信じてくれ。私は絶対に君を離さない」

抱きかかえ上げられ、ベッドへと運ばれる。そのまま、ライナスが夜着を脱がしていくのを見ながら、セルマは身体から力を抜いた。抵抗するとか逃げるとか、今のセルマの頭の中にはまったくない。

(……信じている……)

ライナスの想いは信じている。ただ、それだけですべてが解決しないこともまた、わかっていた。

どうして好きになってしまったのだろう。今更ながらそんな思いを抱く自分に呆れてしまう。最初から拒みもしなかったくせに、いざ難題を突き付けられて自分だけ逃げ出そうとするなんて、自分のことを愛しているると言ってくれているライナスにも失礼だ。

「セルマ」

重なる唇を目を閉じて受け入れても、セルマの中の迷いは完全に消えない。

「セルマ、言ってくれないか?」

「……」

「私のことを、好きだと」

ライナスに好きだと告げてから、彼は事あるごとにその言葉を要求してくる。拒まないということこそ答えだというのに、はっきりと言葉にしてほしいと懇願してくるのだ。

色んなものを与えられ、惜しまず言葉も告げられているくせに、こんなふうに望まれて初めて言う自分の鈍感さに呆れる。

「……好きです」

「セルマ」

「あなたが、好きです」

何の柵《しがらみ》もなくこの言葉を口にできればどんなにいいか。セルマはライナスの背中に手を回すと、想いをこめて強く抱きしめた。

＊＊＊

「……今日はお前か」

ライナスは呆れたように溜め息をついた。

ほぼ毎日、ベルナルドの屋敷を訪れる王城の人間は問答無用に帰していたが、さすがに向こうも人選を考えたらしい。

ルディは口元を弛めた。

「元気そうだ」

「セルマと一緒にいるからな」

ライナスはあっさりと答える。何がなくとも、セルマが側にいればそれだけで十分幸せだと表情でも伝えると、惚気に胸焼けしたのかルディの眉間には皺が寄った。

「お前が元気な分、王城の中は嵐が吹き荒れているぞ」

「嵐？」

「王は機嫌が悪いし、王妃は体調不良で臥せっている。元気なのは、レイカ姫を追いかけているアレククらいなものだな」

「……どうなった？」

アレクシスの名前を聞いて、ライナスはすぐに聞いた。両親のことももちろんだが、まず弟のことがどうなっているのか心配だったからだ。

「王がお前を廃嫡するとか言い出したが、それよりも自分を次期王に指名しろと言いはなっていたぞ。王になることを約束されたら、レイカ姫も自分になびくとでも思ったのかもな」

「……アレクらしい」

どんな表情で父に向き合ったのか目に浮かぶようで、ライナスは目を細めて笑った。顔の造作が整っているだけに、凄まれたらかなりの迫力だ。きっと、父はその迫力に押され、半ばその主張をのんだはずだ。

（いや、だとすれば、今日ルディをここに寄越さないか）

アレクシスの侍従で、ライナスとも幼馴染であるルディを使いに寄越したのは、それだけ事態は切羽詰まっているということだ。

「まったく、父上も年をとったものだな。昔なら自らここに来たか、きっぱりと私を切り捨てるかしただろうに」

「切り捨てるには、お前は価値がありすぎるんだろう」

ライナスはちらりと屋敷を見上げた。王城からの使いが来たことは知らせたので、セルマは今頃きっと落ち着かない気分だろう。本人は来たがったが、結局連れてこなくて良かった。ルディに会ってしまえば、アレクシスのことを思い出す。そこから繋がって、レイカのこと、そして両親のことと、また色んなことを考えるとわかるからだ。

夕べ、散々啼かせた。セルマは最後綺麗な涙を零しながら、ライナスに愛していると告げてくれた。強制的に言わせた言葉は後から思えば苦いが、それでも言わせずにはいられなかった。

いつまで経っても、セルマは自分と心の底から愛し合ってくれない。自分のことだけを考えてくれない。それがセルマの美徳だとわかっていても、どうしようもなく焦るのだ。

「ライナス」

ルディに呼ばれ、ライナスは視線を向けた。

「……」

「……どうするんだ」

迷ったのは一瞬だった。

「……戻る」

「そうか」

「もう一度父上に会って、今度こそ決着をつける」

「わかった」

決意して言えば、ルディは頷いてそのまま立ち去った。それ以上言わなくても、ライナスが今の言葉を違えることはないとわかっているからだ。

ライナスもルディに背を向けて屋敷の中に戻ったが、ふと歩く方向を変えた。向かった先は執事の部屋だ。

「ライナス王子」

部屋に行く途中の廊下で執事と会ったライナスは、決めたばかりのことをそのまま伝えた。

「世話になったね。明日、王城に戻ることにしたよ」

「まことでございますか」

「もちろん、セルマも連れていく」

わかりきったことを改めて伝えたのは、きっとセルマ本人は残ると言い出すと思ったからだ。その時に執事にそれとなく誘導してもらう思惑もあって言った言葉の真意は、正しく執事に伝わったらしい。

「お二方が帰られると寂しくなります」

「ベルナルド殿には、改めて礼をさせてもらうつもりだ」

今思えば、王城から逃げ出したセルマがベルナルドと出会ったのにも意味があった気がする。

(フレイン殿……きっとあなたが差し向けてくれたんでしょうね)

「ありがとう」

「もったいないお言葉でございます」

執事と別れ、ライナスはセルマの部屋に戻る。中に入った時窓際にいたセルマは、もの言いたげな視線をライナスに向けてきた。

「いつもと同じ話だった」

それは王城に戻って来いという話だと、セルマも理解して頷く。

「戻ると言ったよ」

「！」

続けて言うと、セルマは驚いたように顔を上げる。まさかそんな答えを出すとは思わなかったという表情だ。無理もない、夕べも散々離さないと身体と言葉でセルマに伝えたからだ。

「もちろん、君も一緒に戻るよ」

「わ、私も？」

「私と君の問題だろう？」

どちらが一方的に決めるのではなく、二人で。それを暗に伝えると、セルマは戸惑ったように視線を揺らした後、やっぱりと切り出してきた。

「私はやっぱり……」

「セルマ」

「……」

「一緒に行ってくれるね？」

「でも……」

「もう、いなくなった君を捜すようなことはしたくないんだ」

実際は、護衛に監視させていたので見失うことはなかったが、それでも置いて行かれたというあの時の衝撃はいまだ覚えている。

セルマも負い目があるようで、重ねて言うと何とか受け入れてくれた。

「大丈夫だ。何も心配することはないよ」

今度こそセルマがいる場所で、彼女への想いを両親に伝えるのに良い機会だ。

逃げるばかりでなくこちらから打って出れば、また事態はころりと変わる可能性が大きい。

後は、王城に行くことでセルマが傷つくことがないように、しっかりと目を配ることだけ自身に課した。

翌日、ライナスとセルマは揃ってベルナルド邸の使用人たちの前に立った。

「どうかお気をつけて」

執事の言葉にライナスはしっかりと頷く。

「ありがとう」

「セルマさま」

リジィが、セルマをしっかりと抱きしめた。

「どうかお幸せに」

「……リジィ」

セルマにとっては母と同じような存在のリジィの言葉に、彼女も言葉につまったようで自分からも抱きついている。無条件の信頼がそこに見えてしまい、理不尽だと思うものの少し妬けてしまった。

「セルマ」

急かすようにセルマの背に手を寄せる自分に気づいたリジィがセルマを促して、二人揃って外に出る。そこには王城から寄越された馬車が横付けされていた。

ライナスの言葉を受けてルディが手配したものだろう。気の回し過ぎというかどうか、セルマが王家の紋章を見た途端、足を止めてしまった。

「……これ……」

「ん？」

「私も、これに？」

「いや？」

「いや……とか……」

あきらかに足が重いセルマの耳元で囁く。

「歩いていく？」

「の、乗ります」

自分はともかく、ライナスを歩かせるわけにはいかないと考えたのだろう。予想通りのセルマの言葉に内心で笑み、セルマの手を取って馬車に乗せる。

「よろしいですか」

「行ってくれ」

ライナスは見送る使用人たちに軽く頷いて合図し、馬車はゆっくり走り始めた。

向かい合わせた馬車の中でセルマを見ると、思いつめた表情で俯いている。今朝は起きた時からずっと表情が暗かったが、馬車に乗ったことでさらに緊張が増したのかもしれない。

「セルマ」

「……」

「セルマ」

「は、はい」

何度か名前を呼んで、ようやくこちらを見た。

ライナスは黙って腰を上げ、セルマの隣に座りなおすと、膝の上の手に己の手を重ねて強く握る。

「大丈夫だよ」

「……」

「愛している、セルマ」

それにも答える余裕がないのか、握っているセルマの手は冷たいままだ。

しばらくは何を言ってもこの緊張感は解けないだろうと諦め、ライナスはそれきり話しかけるのをやめた。

馬車はそのまま走り、やがて王城の門に着いた。門番がすぐに気づいて門を開けて敷地内へと進んでいく。

それにつれて、セルマの顔はますます青ざめていった。

「……着いた」

馬車が停まり、外では大勢の人間の気配がしている。ライナスはもう一度セルマの手を握りしめた。

「降りられる？」

「……」

ここまで来て、やはり引き返すという選択はなかったが、それでもセルマの気持ちを考えて尋ねると、しばらくしてセルマは小さく頷いた。

「降ります」

ようやく気持ちを決めてくれたセルマの手を持ち上げ、ライナスは感謝の気持ちと共に唇を寄せた。

第八章

　意を決して王城から出て行ったのに、のこのこ戻ってきた自分を皆はどう思うだろうか。特に、王マティアスや王妃シャルロットの反応が気になってしかたがない。

「さあ、セルマ」

　ライナスに促されるように馬車から降りた先には召使たちが居並んでいて、その先頭にいた宰相が前へ進み出てくるとライナスに一礼した。

「お帰りをお待ちしておりました」

「あくまでも一時的のつもりだけどね」

　そんな言葉は関係ないとでもいうように、宰相はにこやかに続ける。

「ライナスさまの決済が必要な書類が滞っております。一度執務室においでいただけるでしょうか」

　願いというよりは決定事項のように告げる宰相の言葉に、ライナスは僅かに目を細める。そのまま即座に断りそうな雰囲気に、セルマは慌ててその腕に手を触れた。

「ライナスさま、どうぞ政務にお戻りください」

「セルマ」

珍しく強い口調で名前を呼ばれる。何のために王城に戻ってきたのかというライナスの気持ちは痛いほどわかるが、それ以前にライナスがこの国にとってどれほど大切な人間かということをセルマは知っているつもりだ。

この後、自分たちがどうなるのか心細い気持ちはあったが、優先すべき問題はあると理解していた。

しばらくセルマの顔を見下ろしていたライナスは、ふと息をついて苦笑を浮かべる。

「君には敵わないな」

そう言って、頬に唇を寄せてきた。どうやらセルマの気持ちを尊重してくれたようだ。

しかし、表立ってライナスがセルマと近しい雰囲気を出したのはこれが初めてだったせいか、周りがざわめくのを肌で感じる。居たたまれないが、ここで動揺しているとライナスが政務に戻りにくくなってしまうからと、セルマは何とか足を踏ん張った。

「私の部屋で待っていてくれ。行こうか」

「はい」

宰相はセルマに対しても一礼した後、ライナスを先導するように歩いていく。

一人とり残されてしまったセルマは周りの視線に俯いたが、

「セルマ」

不意に掛かった声に慌てて顔を上げた。

「ア、アレクシスさま」

アレクシスはセルマの背に手を添えた。

「兄上の部屋に行こう」

「わ、私一人でも大丈夫です」

わざわざアレクシスの手を煩わせることはできないと遠慮したが、アレクシスは相変わらず尊大な態度で言い放った。

「兄上の大切な人を俺が守らないでどうする」

「……」

「行くぞ」

物言いは多少乱暴だが、背を押す手は優しい。昔から照れ屋な彼は、言葉とは裏腹に優しかったことを思い出した。

アレクシスが側にいてくれたおかげで、セルマに不躾な視線や揶揄する言葉を投げつける者はいなかった。そのままライナスの部屋に向かって歩いている途中、

「レイカと、婚約した」

まるで思い出したかのようにアレクシスが告げてきた。

「婚約？」

「これでようやくレイカを俺のものにできる。……だから、兄上とお前が結婚してくれないと困るんだ」

「……おめでとうございます」

ライナスが王城を出てしまった後、アレクシスとレイカのことも心配していたが、どうやらアレクシスの気持ちは彼女に受け入れてもらえたらしい。もうずっと前から、アレクシスがレイカのことを想い続けていたことに気づいていたセルマは、心からの祝福の言葉を告げた。

それに対してアレクシスは何も言わなかったが、少しだけ耳が赤くなったように見えるのは気のせいだろうか。やはり、根はとても優しい青年だと改めて思う。

(良かった……)

心のどこかで、レイカからライナスを奪ってしまったという意識があったセルマは、アレクシスの想いをレイカが受け入れてくれたことが素直に嬉しかった。

アレクシスはきっと、レイカを大切にするだろう。そして、レイカも、アレクシスのことを心から愛してほしい。

「……しばらく、兄上は宰相に捕まるはずだ」

「え？」

何気なく話しかけられ、セルマは顔を上げた。

「父上はかなりの政務を兄上に移行していた。たぶん、父上は兄上を次期王に指名するつもりだったんだろう」

「アレクシスさま……」

「俺も、それを当然だと思っていた。兄上は堅実で、とても頭の良い方だから、今まで以上に我が国を栄えさせてくれるだろうと。だが、兄上は次期王の座よりお前を選んだ。父上にとっては計算外のことだっただろうな」

「……」

ライナスの行動が自身のせいだと思っているセルマにとって、アレクシスの今の言葉はとても重かった。

何も言えずに俯いてしまったセルマに、しばらくして先ほどと変わらないぶっきらぼうな声が聞こえてきた。

「生涯にただ一人、大切な人間に対して己のすべてを懸ける気持ちは俺にもわかるつもりだ。俺は、兄上の決断を受け入れる」

二人の王子はよく比較をされ、頭脳明晰で人格に優れている兄と、外見が素晴らしく整っている弟と比べられているが、ライナスは「アレクはとても賢いよ」と常々言っている。それはセルマも感じていたが、今はそれ以上に兄ライナスを思う気持ちが胸に響いた。

「とにかく、お前は何も考えず、兄上を信じていろ」

「……はい」

ライナスに半ば強引に連れてこられたが、本当に王城に戻って良かったのかとずっと考えていた。だが、こうしてアレクシスと話せただけでも、十二分にその価値があったように思える。

「アレクシスさま、もう大丈夫ですから」

「……」

「ライナスさまが言われたように、お部屋でお待ちしています。ライナスさまもお忙しいでしょうから」

「だが」

「勝手に王城から出たりなどしません」

ライナスが不在時、彼を置いて王城から逃げるように去ってしまった自分のことを簡単に信じてはもらえないかもしれないが、こうして戻ってきた以上覚悟が必要だとセルマもわかっているつもりだ。ここにきてまた逃げ出すことはできない。

「……兄上は一度決めたことを覆す人じゃない。セルマ、お前も覚悟を決めろ」

念を押すように言うアレクシスの言葉に、セルマは神妙に頷いた。

アレクシスと別れたセルマは、そのままライナスの部屋に行こうとして足を止めた。すぐ目の前のシャルロットの部屋。今の時間は在室しているはずだ。

ライナスと決別しようとして王城を出ようとした時、シャルロットは涙を流して別れを惜しんでくれた。王妃として、母親としてというより、長い間セルマを可愛がってくれた一人の人間として向き合ってくれたのだ。

そうまでして出て行った自分が、こうしてのこのこと戻ってきてしまった。それも、別れなければならないライナスと共に、だ。

当然、今日自分たちが戻ってくることを彼女も知っているだろう。ちゃんと顔を見て謝罪したい――そう思うが、一方で何と言っていいのかわからなかった。

（……やはり、やめておいた方が……いい……？）

しばらく迷って、結局セルマはライナスの部屋へと向かう。

半月ほど不在だったとは思えないほど埃も空気の澱《よど》みもない部屋は、きっと毎日掃除整頓されて、いつライナスが戻ってきても良いようにと準備されているのだ。

ライナスは必要とされている。しかし、自分はどうだろう。

意を決して戻ってきたつもりだが、セルマはまだ自分がどうしていいのか迷っていた。

午前中早い時間に戻ってきたが、それからずっとライナスは執務室に詰めていた。

その夜遅く戻ってきたライナスの表情は二人きりの時に見せる甘い顔ではなく、責任のある仕事を抱えている王子の顔になっていた。

「お客さまが？」

「ああ。偶然なのか、それとも意図的なものかはわからないけどね」

王は東の国から来国してきた使者の相手で、しばらく時間が取れないらしい。ライナスが戻ってきたのを機に、接見や会合、晩餐会など、滞っていた催しを立て続けに行うようで、ライナスも強制的に参加を命じられたと言った。

だが、そもそもライナスが王城にいれば、当たり前のように彼も参加していただろうし、もしかしたら不在のために延ばしていたのかもしれない。

セルマを一人にすることを謝罪するライナスに、セルマは当然のことだと受け止めた。

「戻ってきたばかりでお疲れでしょうが、どうか無理はされないように」

「……」

「ライナスさま？」

首を傾げたセルマを、ライナスは抱きしめて髪に唇を寄せる。

「行かないでと、我が儘を言ってほしいところだけれど」

「え？」

「……もう少しだけ待っていてくれ。私も、やるべきことはしたうえで、父上に君とのことを認めてもらうつもりだ」

「……はい」

自分たちの問題より先に、国のことをきちんと考えてくれているライナスが誇らしい。セルマは頷いた。

翌日も早くから執務室に向かうライナスを見送ったセルマは、思い切ってシャルロットの元を訪ねることにした。このままライナスの手が空くまで部屋の中でじっと待つだけの時間は嫌だったのだ。

部屋の前に立って扉を叩くと、しばらくして中から顔を覗かせたのは見覚えがある侍女の一人だ。

彼女はセルマの顔を見て一瞬驚いた表情を見せたが、すぐに中へ声を掛けてからセルマを招き入れてくれた。

「セルマ」

「……シャルロットさま」

少し、痩せてしまっただろうか。二年以上毎日顔を見ていた相手と半月以上離れていたせいか、その外見的な変化はすぐに目に飛び込んできた。

「……勝手をしましたのに、こうして戻ってきてしまって……申し訳ございません」

セルマが膝を折って深く頭を下げると、

「こちらへ」

シャルロットはもっと近くへ来るように促してきた。

何を言われるのだろう。大切な王子を誑かした女として罵声を浴びることも覚悟していたセルマは、ゆっくりと窓辺の椅子に腰かけている彼女のもとへと歩み寄った。

「……」

見つめる先のシャルロットの目の中には、一見して怒りの色はないように見える。セルマはすぐ側まで行くと、その場に膝をついてもう一度頭を下げた。

すると、しばらくして頭に触れたのは優しいシャルロットの手だった。何度も何度も確かめるように動かされ、やがてシャルロットが言った。

「つらい思いをさせて、ごめんなさい」

「シャルロットさま……」

「あなたがいなくなってから、わたくしは己がどれほど酷い言葉を投げつけてしまったのかわかったわ。遅くなったけれど、あなたに謝りたいと思っていたの。こうして会えて、本当に良かった」

真摯な謝罪の言葉に、セルマは何度も首を横に振った。

シャルロットは何も酷いことは言わなかった。むしろ最後まで優しく察してくれて、セルマの方こそ申し訳ないという思いが強いくらいだ。

「セルマ……」

「私の方こそ、長い間ライナスさまをお引き留めして申し訳ありませんでした」

ライナスから与えられる愛情に溺れて、周りを気遣うことを忘れていた自分が恥ずかしい。

お互い謝罪し合い、それを繰り返しているうちに笑みが漏れて、ようやくセルマはシャルロットと和解できた気がした。ライナスとのことは王の判断に任せると言われたが、シャルロット本人の言葉の裏には許すという雰囲気が多分に感じ取れた。

「アレクシスも、レイカ姫との婚約をとても喜んでいるの。思えば、昔からあの子の方がレイカ姫と積極的にかかわっていたわねえ」

話はいつしかアレクシスとレイカのことへと変わっていた。

アレクシス本人からの報告は受けていたが、第三者が見た彼らの姿が聞けるのはとても興味深かった。

「アレクシスさま、昔から姫さまのことを気にかけておいででしたから」

「……これで良かったのかもしれないわね」

「シャルロットさま」

「兄弟が互いに想う者と一緒になれるんですもの」

「……」

シャルロットに微笑まれ、セルマは曖昧な笑みを浮かべる。普通の家柄の者ならそう言えるだろうが、王族となれば個人の感情だけで結婚という一大決断をするわけにはいかないのだ。

王がアレクシスとレイカの婚約を認めたとしても、だからと言ってセルマとライナスの関係を受け入れるとは限らない。一国の王子としてライナスは素晴らしい人物だと思うし、そんな彼に他の縁談の話がないはずがないのだ。

(ライナスさまの結婚相手として、私ほど相応しくない者はいないし……)

仮に家柄は不問にされたとしても、やはり一度結婚したという事実は消えることはない。セルマ自身、フレインとの結婚生活はとても幸せだったし、今も忘れることはできないが、それがライナスとの結婚の大きな障害でもあった。

結婚歴のある自分と一緒になるということは、ライナスが王にはなれないということ。

うか。

彼を次期王にと望む人々からすれば、自分はやはりいてはいけない存在なのではないだろ

　ライナスが迎えに来てくれて、彼の真摯な告白を受け、自分も受け入れようとしていたものの、王城に戻ってくるとやはり不安の方が大きい。

「セルマ」

「は、はい」

　暗い思考に沈みかけていたセルマは、名前を呼ばれて慌てて顔を上げた。

「わたくしは、ライナスの想いを尊重することにしたわ」

「え……」

「王には思うことがおありのようで、わたくしが口をはさむことはできないけれど、母親としては子供の幸せを一番に考えたい。ライナスもアレクシスも、わたくしの大切な子供ですもの。二人の選んだ伴侶を、わたくしも心から祝福して迎え入れたいと思うの」

「シャルロットさま……」

　シャルロットの白くて華奢な手が、セルマの手をそっと握りしめてくる。その温かさに涙が溢れそうで、セルマは慌てて目を伏せた。

「ああ、それともう一つ」

　シャルロットも少し声を涙で濡らしながら立ち上がり、奥に向かったかと思うと、しばらくして手に何かを持って戻ってくる。

「ようやく、あなたにこれを渡す時が来たようね」

「これは……」

差し出されたのは手紙だった。どういうことかとシャルロットに尋ねようとしたセルマは、目に飛び込んできた宛名の字に目を瞠る。几帳面なその文字には見覚えがあった。

「これ……旦那さまの……」

見慣れた懐かしい字は、フレインの手によるものだ。彼は筆まめで、友人や親戚などによく手紙を書いていたが、当然ながらずっと一緒にいたセルマは貰ったことがなかった。

宛名は、自分だ。いったいいつ書かれたのか、混乱して縋るようにシャルロットを見つめると、彼女は静かに頷きながらセルマの手に手紙を握らせた。

「エルバートが、亡くなる少し前にわたくしに手紙をくれたの。その中に、あなたに渡してくれと、あなた宛の手紙が同封してあったのよ」

「亡くなる、前に？」

それならばどうして、彼が亡くなってすぐにでも渡してくれなかったのだろうかとぼんやりと思ったが、シャルロットは手紙を撫でながら言葉を継ぐ。

「わたくし宛のエルバートの手紙に書いてあったのよ。あなたが……エルバートの死を完全に受け入れることができた時に、この手紙を渡してほしいって」

「シャルロットさま」

「ライナスを受け入れたあなたに、もうこれを渡してもいいでしょう？」

「……っ」

息をのんだセルマは、手にある手紙を穴のあくほどじっと見つめた。

フレインが亡くなるその瞬間まで、セルマは片時も離れずに彼の側にいた。それなのに、フレインがシャルロットに手紙を出したことも、その中にセルマ宛の手紙を入れたことも、今までまったく知らなかった。

目を閉じる瞬間まで、彼は何を思っていたのだろうか。この手紙を読めばフレインの気持ちがわかるのかと思うと、何か急く感情と、怖いという思いが混ざり合った、複雑な思いに心が揺れる。

「後でゆっくりごらんなさい」

「……失礼します」

シャルロットの部屋から出たセルマは、手紙を抱きしめたまましばらく扉の前で立ち尽くしていた。せっかくフレインが自分に書いてくれた最初で最後の手紙なのに、これを一人で読む勇気がない。

ライナスと一緒なら……そう思ったが、彼は忙しく、王城に戻ってからはずっと政務であれこれ動き回っている。朝も、今夜は徹夜になりそうだと言って出て行った。

それが、自分を追いかけて王城を空白にしてしまった時の仕事が滞っているせいだという自覚があるのでセルマもどうしようもなかったが、一方でライナスといる時間がとても少なくなってしまったことが不安だった。

多分、その前の半月間、いつもライナスが側にいた環境で暮らしていたせいで、気持ちが贅沢になってしまっているのだ。本来、王子である彼はとても多忙で、たとえセルマと共に過ごそうとしてくれても、その時間を作るのさえままならないはずだった。

ちゃんと理解しているし、そうしてほしいとも思っている。それでも、胸の中に渦巻くわけのわからない不安をどうにかできないかと焦った。

「セルマ」

そんな思いを抱えたまま、翌日、ライナスの部屋から出たセルマは声を掛けられた。

「……レイカさま」

一瞬、セルマはその顔を見ることができなくて目を逸らしてしまった。レイカから婚約者を奪ってしまった罪悪感ももちろんだが、いくらレイカがアレクシスと上手くいっているとしても、自分に対して何か思うところがあるのではないかと考えたからだ。

「良かった、会えて」

だが、駆け寄ってきたレイカの目の中には、セルマに対する憎しみや恨みなどまったくなかった。そればかりか、眩しいほど生き生きと、幸せが溢れているような満面の笑みを向けられる。

「ライナスさまとのこと、アレクから聞きました」

「ご、ごめんなさい」

反射的に謝罪したが、レイカはどうして謝られるのかわからないらしい。

「謝ることなどありません。わたくし、きっとこうなるだろうと思っていたから」

「え？」

「ライナスさまはいつでも優しくしてくださったけれど、わたくしのことを妹のようにしか思ってらっしゃらないことはわかっていました」

きっぱりと言い切ったレイカに、セルマは彼女がそこまでちゃんと状況を見ていたことに驚いた。確かにライナスはレイカに優しく接していたし、普通ならばそれを愛情と考える。それを、僅か十五歳の少女が意味を取り違えないで受け止めていたのだ。

つい最近まで自分自身の気持ちに気づけなかったセルマの方が、年齢は上なのに精神は遥かに子供だったのかもしれないと思い、たまらなく恥ずかしくなってしまった。

「それに、ライナスさまがわたくしを見る目と、あなたを見る目はまるで違っていたもの」

「……そんなに？」

するると、レイカが顔を赤くした。

「レイカさま？」

「……同じなんです」

「同じって……」

「アレクが、わたくしを見る目と、ライナスさまがあなたを見る目……」

（アレクシスさまと？）

あんなにも明快にレイカのことを見ていたアレクシスと一緒だったなんて、セルマはまったく気づかなかった。ただただ、優しく、温かく接してくれていると思っていた自分は、どれほど鈍感だったのか。

「だから、こうなることはわかっていました」

レイカには、もう何の憂いも見えなかった。綺麗な表情は、きっと一心にアレクシスを見つめることができるようになったからだ。

(私は、そんな顔になれるのかしら……)

「レイカ?」

「アレク」

そこへ、アレクシスがやってきた。きっとレイカを捜していたのだろう、その姿を見て明らかに安堵したように表情を弛めている。

だが、レイカは背が高いアレクシスを見上げるようにしながら言った。

「お仕事は?　抜け出してきたんじゃないんですか?」

「……」

無言は肯定だ。

「やっぱり。ちゃんとお仕事をしないと、わたくしと一緒にいる時間はかえって減ることになると思いますけど」

「レイカが滞在する期間は短いんだ。少しでも一緒にいたいと思うのが普通だろう」

「そ、そんなこと言っても、駄目です」

口では小言のようなことを言っているが、赤く染まった顔で言っても迫力はなかった。

アレクシスも、そんなレイカを見て目を細めている。

(本当に、思いが通じ合っているんだわ)

以前は、必死にレイカの心を得ようとし、どこか飢えた目をしていたアレクシスだが、今では余裕さえ見えるほどに落ち着いている。ライナスから譲られたのではなく、レイカに選ばれたのだという自信が、彼をそんな顔にさせているのかもしれない。

(羨ましい……)

ふと、そんなことを思ってしまった。

王子と、王女。もちろん身分は釣り合っているし、端正な容貌のアレクシスと可愛らしいレイカは、見ていてとてもお似合いだ。

周りも二人の結婚を祝福しているし、誰一人として反対する者もいない。

それに引き換え、自分とライナスはどうだろうか。

ライナスもアレクシスに負けないくらい真っ直ぐな気持ちでセルマのことを想ってくれている。そのことを疑うことはないし、とても嬉しく思う。セルマ自身、ライナスを心から愛している。だからこそ、彼のことを一番に考えたい。

自分たちの周りの状況は、とても楽観できないことばかりなのだ。

(何より、私と結婚したら……)

ライナスはセルマのために王位継承権を捨てる決意をしてくれ、彼の愛情を信じて、セルマもセルマも意を決して王城に戻ってきた。

皆から祝福されることはないと覚悟もしているつもりだったが、せめてライナスの家族だけには認めてほしい。そう思ってしまうのはやはり贅沢なのだろうか。

自分の気持ちが大きく揺れているのを自覚したまま、セルマはふと部屋の隅に置いた小さな自分の鞄を見た。歩み寄って口を開き、一番下に隠すようにしていたフレインからの手紙を取り出した。

「旦那さま……」

この中には何が書かれているのだろう。セルマは懐かしい文字の書かれている封筒をじっと見つめた。

＊　＊　＊

なんとか仕事にしまいをつけて夜遅く部屋に戻ったライナスは、窓辺に佇むセルマの姿を見つけて眉を顰めた。

(何があった？)

一刻も早く父と話すため、たまっていた仕事を端から片付けていたのでセルマとの時間が取れなくなった。それはセルマに説明して、彼女も納得した上で送り出してくれている。

それに甘えていたわけではないし、セルマには彼女が気づかないよう護衛もつけて、身体的にも心にも、傷をつけられないよう手配をしていたつもりだった。

日に何度か聞かされる報告にも、特に変わったことはなかったのだが――やはり、側にいないと何があったのか正確にはわからない。

「セルマ」

「……」

声を掛けても、セルマは気づいた様子はない。ふと見ると、その手に何か握られているのがわかった。

（手紙、か？）

封書のようだが、誰からの手紙かはわからない。

まさか、批難や中傷が書かれているのではないか。ライナスは無言のままセルマに近づいた。

「！」

後ろから抱きしめるとようやくライナスの姿に気がついたようで、セルマは後ろを振り返って言った。

「お帰りなさい。お仕事お疲れ様でした」

出迎えの言葉は嬉しいが、その表情が悲しげなのは問題だ。

「何かあった？」

「え？」

「……これ」

手を動かし、セルマが手にしている封書を撫でると、腕の中の身体が強張ったのがわかった。

「誰からの手紙？」

「……」

「セルマ」

「……旦那さま、から」

「……フレイン殿から？」

まさかその名前が出るとは思わず、ライナスは驚いて封書を見る。

「いつ？」

「亡くなる、前、シャルロットさまに送られてきたと」

フレインが亡くなる前、セルマに書いた手紙を母を通して送ってきていたと聞き、ライナスは嫌な予感がして抱きしめる手に力を込めた。

死んだ人間に、セルマを抱くことなどできない。それでも、いまだフレインのことを忘れられないセルマが手紙など貰ったら、また気持ちを揺さぶられかねないだろう。

（どうして今頃……）

ライナスにとって、フレインは永遠に追い抜けない存在だ。嫌いではないが、心に重く圧し掛かる男。彼がどんなことをセルマに訴えたのか、嫌でも気になった。

ただ、ここで強引に見せてくれというのは、やはり子供っぽいと思われそうだ。

「……着替えてくるよ」

セルマの髪に唇を触れ、ライナスは彼女の身体を解放した。とにかく一度落ち着かなければ、強引に手紙を奪ってしまいそうだからだ。

部屋の奥に向かったライナスは上着を脱ぎ、シャツの釦を外す。

(……セルマが眠ってから見るか？)

見ないという選択はなかった。ただそれを、セルマには知られないようにしたいや。

いや。

(母上は読まれているのか？)

先ずは母に尋ねてみようか。

これからの対策を考えていたライナスは、いつの間にか側に来ていたセルマにすぐに気がつかなかった。

「ライナスさま」

「セルマ？」

「あの……」

セルマは言いよどみ、しかし、思いつめた顔で口を開く。

「一緒に、読んでくださいませんか？」

何をなんて、この状況で聞き返すような無粋なことはしなかった。

「いいの？」

「……はい」

「フレイン殿は、君だけにしか読まれたくないかもしれないよ？」

「……それでも、一緒に読んでください。旦那さまは、私が旦那さまの死を完全に受け入れた時にこの手紙を読むようにと言われたそうです」

「そんなことを？」

「私は、あなたがいるからこの手紙を読みたいと思います。でも、やっぱり一人だと怖いんです。ライナスさま、どうか……」

緊張した面持ちで言うセルマから、ライナスは手紙に視線を移した。

フレインらしいといえば、彼らしい考えだ。

彼はきっと、セルマがいつまでも自分のことを思い、前に歩き出すのを躊躇うとわかっていたのだろう。夫というよりも父親のような気持ちでセルマを見てきただろう彼にとって、残していく彼女のことがどんなに心残りだったか。

どんなに、悔しかったか。

（……敵わないな）

死んだ後まで彼女のためを思い、考え、その道標《みちしるべ》を残していった。自分のセルマへの想いがフレインに劣るとは思わないが、それでもライナスはフレインの人間としての器の大きさに嫉妬する。

「ライナスさま……」

ライナスがなかなか返事をしないせいで、セルマの不安をかき立ててしまったらしい。

「……ごめん」

ライナスはセルマを抱きしめ、頬に唇を寄せる。本当は気になってしかたがないくせに、セルマを試すようなことを言って彼女に不安な顔をさせてしまった。こんなことでは、本当にフレインから任せられないと叱られそうだ。

「私も読ませてほしい」

改めて本心を告げた。

フレインが、どんな言葉をセルマに残したのかを。

「はい」

ライナスはセルマの手を取ってベッドに座らせた。自分もその隣に腰を下ろし、しっかりと肩を抱き寄せる。

しばらく封書を見つめていたセルマは、やがて思い切ったように封を開くと、また少し躊躇ってから中の手紙を広げる。

（……ああ、これはフレイン殿の……）

見たことのある几帳面な字が、ライナスの目に飛び込んできた。

＊　＊　＊

【ありがとう。

セルマ、君に送る言葉はこれしか見つからない。

君と出会ったことが、私の人生の最期を豊かにしてくれたよ】

フレインの手紙は、そんなセルマに対する礼の言葉から始まっていた。

書かれているのは、セルマとの結婚生活が幸せだったということだが、意外にもその中にはずいぶん際どいことも書かれていた。

【こんな歳でも、私は君を抱きたいと思っていた。君が本当に私のことを想ってくれていたら、迷わず私のものにしていたと思う。だが、君の私に対する思いは、信頼と感謝の比重が大きかった。

嬉しかったが、少し寂しかったよ】

(旦那さまは、私のこと……)

五年も一緒に暮らしたが、フレインに欲というものはまったく感じなかった。大切にされているのは十分わかっていたが、それはとても温かく優しいものだと思っていた……いや、思い込んでいた。だから、フレインが自分を抱きたいと思ってくれていたことには素直に驚いた。

それでも、一つ、心の中の重しが外れた気がした。フレインが自分を抱かなかったのは自分に女性としての魅力がなかったのだと思っていたが、彼はちゃんと、夫として男として、セルマに欲を抱いてくれていたのだ。

ただ、それがわかっていたとしても、当時の自分は受け入れられただろうか。セルマにとってフレインは恩人で、とても神聖な存在でもあった。彼が望めば身体を重ねたかもしれないが、自ら進んでとは想像できない。

ライナスが相手では、迷いながらでも受け入れることができたのに……。

（あ……それ、が？）

だから、フレインは自分を抱かなかったのかもしれない。セルマの、自分に対する思いが恋愛感情でないとわかっていたからこそ、最後までこの身体を抱くことはなかったのだろう。

続けて、己が死んだ後、心から想う相手ができたら迷わず飛び込んでほしいと書かれているのを見た時、セルマはこみあげてくる涙を耐えることができなかった。

「旦那さま……」

優しい言葉なのに、彼の悔しい思いが伝わる気がした。死んでいく彼が、生きていくセルマの未来を見なければならない悔しさは、いったいどれほどのものだったか。

【生きている間に直接言えず、こうして手紙にしているのは私のちょっとした我儘と嫉妬だ。

少しでも私のことを考えていてほしいと思うのは、夫としては当然のことだろう？

だが、君がいつまでも私とのことに囚われて身動きが取れなくなってしまうのは望むところではない。

だから、この先の人生を一緒に歩みたいと思うような男性ができたときは、私になど構わず結婚しなさい。

幸せになりなさい、セルマ】

幸せになりなさい。

その言葉に涙が止まらないセルマの肩を強く抱き、ライナスがようやく口を開いた。

「君の旦那さまは素敵な人だったんだな」

「……っ」

「今の私では、まったく彼に敵わない」

「ライナスさま……」

セルマが感じたことを、ライナスもまた感じ取ったのかもしれない。

一瞬、このままライナスが自分の手を離そうと思ったのではないかと恐れ、セルマは反射的に彼の服を摑んだ。

ライナスの愛情はセルマが思っていた以上に深いものだったが、ライナスが自分に向けてくれる想いがそれに劣るなどと思わない。だから、敵わないなどと思わないでほしかった。

すると、ライナスがその手に己の手を重ね、強く握ってくれる。

「でも、私は君とずっと生きていきたい」

「……本当、に？」

「絶対、君を離さない」

「ほ、ほん、と？」

フレインのように、自分を置いて行かないと約束してくれるのだろうか。

「君が嫌だと言っても、ずっと一緒にいるよ。君を一人にはしないと誓う」

きっぱりと言い切り、ライナスが近づいてくる気配に目を閉じた。しっとりと重なる唇は、温もりだけを伝えて離れていく。何だか寂しくて、思わず彼の唇を視線で追うと、ライナスは苦笑しながら言った。

「明日、父上に会おう」

突然そう言われ、セルマは息をのんだ。

「王、に……」

初めからそのつもりでライナスと共に王城に戻ってきたが、それがいざ現実となって面前に突きつけられるとやはり躊躇する。

セルマにとって、王は別格の存在だ。尊敬できて、だけどとても恐ろしい雲上の人を相手に、ライナスへの想いをはっきり伝えることができるだろうか不安だった。

俯こうとしたセルマは顎を取られ、じっとライナスに見つめられる。逃げを許さない、それでいて溢れんばかりの愛情を込めた瞳は、やがてゆっくりと細められた。

「私たちの結婚を認めていただこう？」

「……私……」

「ん？」

「……」

「セルマ、ちゃんと私に教えてくれないか？　君の不安は、私の不安でもあるんだよ？」

セルマが口に出せず、ずっと胸の中に押し隠していた不安の正体を、ライナスはちゃんとわかっていたのだ。

今ここでセルマが口を噤んだとしても、多分ライナスは責めたりはしない。しかしそれは、単に問題を先送りにしているだけなのだ。

「……怖いんです」

長い時間をかけ、ようやくセルマは口を開いた。

「祝福、されないかもしれないって、思うと……」

シャルロットは、ライナスの決断に任せると言ってくれた。アレクシスも、ライナスとのことだけを考えればいいと言ってくれ、レイカも認めてくれている。

身近な人たちに、こんなふうに思われているのはもちろん嬉しいが、それでも内心ではどう思っているのだろうかと疑ってしまう自分がいた。きっと、セルマの中で自分がライナスに相応しいという自信がないからだ。

それに、この国の王で、ライナスの父でもあるマティアスは、結局離れなかったセルマをどう見るのか。あの日、射るような眼差しでライナスとの関係を問いただしてきたマティアスの圧倒的な威圧は忘れることはできない。

ここにきてまだぐずぐずと弱音を吐く自分にライナスも呆れているかもしれない。セルマは言ってしまった言葉を後悔しそうになったが、

「ありがとう」

「……え？」

意外なライナスの反応に戸惑ってしまった。

「正直に言ってくれて嬉しいよ。セルマの不安はわかるし、それを綺麗に消してやれない私が不甲斐ないと思っている」

「ち、違いますっ」

ライナスには何の問題もないと言い返そうとしたが、その前に強く抱きしめられて声が詰まってしまった。

「それでも、私と結婚してほしい」

「ライナスさま……」

「君以外、愛せないんだ」

「……っ」

熱烈で真っ直ぐな愛の言葉は、セルマの中に緩やかに浸透していく。

（私、だって……）

すべての人に祝福されるということはとても難しい。それでも、自分が愛した人に愛さ

れるという奇跡は、確かにここにあった。

「……本当に、私でいいんですか？」

「君がいい」

「あなたよりも年上だし、結婚もしたことがありますよ？」

「セルマがいい」

「……王に、なれなくても？」

「王よりも、君の一生の伴侶になりたい」

それが最大の望みだと告げられ、セルマは笑っているのに涙が止まらなくなった。

「あなたの……ライナスさまの、妻に……してください」

ようやく、この一言が言えた。

マティアスとの対面に不安は残っても、ライナスの隣にいる覚悟はできた。一番欲しいものを手に入れて、それくらいの勇気が持てなくてどうするのだ。

「セルマ……愛している」

「……私も、愛しています」

幸せになりなさい。

（……はい）

セルマの心の中には今もフレインがいて、彼のことを忘れることはこの先もない。だが、自分を抱きしめてくれるこの手を愛おしいと思う気持ちは、きっと何よりも強いと思った。

第九章

思いがけないフレインの手紙は、迷っていたセルマの気持ちを強く後押ししてくれた。そして、ライナスに改めて求婚された時、ようやく揺れていた気持ちが固まった。

もうライナズの手を離すことは――できなかった。

「時間をとっていただき、ありがとうございます」

翌日、セルマはライナスと共に、彼の父で、オルグレイン王国の王、マティアスと、謁見室で向き合っていた。

初めは、私事なので私室で良いのではとマティアスが言ったらしいが、ライナスが国政も関係あることだと言って公の場所での対面になったらしい。

マティアスの他、シャルロットにアレクシス、そして宰相もその場にいる。レイカも同席したかったらしいが、体調が優れないからということで欠席になったようだ。

ライナスはマティアスに一礼した後、顔を上げて真っ直ぐな視線を向けて言った。

「私と、ここにいるセルマとの結婚をお認めください」

「……」

「父上」

「ライナス」

マティアスはライナスの言葉を止めた。そして、ちらりと視線をセルマに向けてくる。鋭い眼差しに身体が震えたが、それでもセルマは目を逸らさなかった。

「以前私が言ったことの意味をわかっているのか？」

その途端、セルマの頭の中にはマティアスの言葉が鮮やかに蘇る。

『《国王となる者の正妃は、純潔でなければならない》』

再婚者は、他の血が王族に混じってしまうことがあるため許されない。

セルマのように、たとえ実際に夫婦生活がなく、ライナスが初めての相手だとしても、結婚した事実でそう決められてしまうのは国法なのでしかたがなかった。自分のためだけに法を変えることもできない。

「私は、お前を次期王に指名しようと思っている。だからこそ、セルマとの結婚だけは許すことができない」

（やっぱり……）

マティアスは、ライナスこそ次期王にと望んでいる。そんな彼が、セルマとライナスの結婚を簡単に許すはずがなかった。

「私も、セルマを憎くて言っているわけではない。だが、ライナス、セルマを選ぶということは、お前の今までの血が滲むような努力をすべて無にするということだぞ」

「……」

「お前の培ってきた経験、知識、人脈。すべてが無駄になってしまう。ライナス、お前はそれで後悔はしないのか？」

頭から叱責されるわけでなく、淡々と心情を訴えられる方が心苦しい。

今ならばまだ、ライナスがすべてを失わない方法がある。それが、セルマにとってどんなに苦しいことでも、彼の将来を考えればきっと良い判断だったと思うかもしれない。

「セルマが欲しければ、妾妃にすれば良い。第二妃のことにまで口は挟まぬ」

セルマは、握りしめた手に力を込めた。

マティアスにとって、これが最大の譲歩なのだ。

セルマはゆっくりと目を閉じる。もう、これでいいと受け入れるつもりだった――が。

「父上のお心遣い、感謝します」

そう言ったライナスは、きっぱりと告げた。

「ですが、私が正妃にしたいと思うのはセルマだけです。彼女を妾妃にするつもりはありません」

「ライナス」

「ライナスさま……」

ライナスは振り返り、驚きで顔を上げたセルマの目をしっかりと捉えた。

「私が妻と呼ぶのは、君だけだよ、セルマ」

「……私……」

「幸せになるんだろう？　私と、幸せになろう」

「……っ」

こんなにも強く激しい愛情を真っ直ぐに自分に向けてくれているライナスに、セルマは胸が苦しくなるほど嬉しくてたまらなくなった。

セルマの様子を見たライナスが、再びマティアスに向き合う。

「セルマを得るために国王の座を捨てなくてはならないのなら、私はとうにその覚悟はできています。父上、どうか私とセルマの結婚をお認めください」

頭を下げるライナスに合わせ、セルマも深く頭を下げながら心から願った。

「……あなた」

長い沈黙の後、シャルロットがマティアスを促す。

すると、アレクシスが一歩前へ踏み出した。

「父上、オルグレイン王国の王には俺がなります」

「アレクシス」

「兄上の培ったものも無駄にはしません。王にはなれなくても、王族の一員として俺を支えてもらいます。良いですよね、兄上」

その場を仕切るようなアレクシスの発言に、ライナスの張りつめた空気が緩んだ。

「もちろん。大切な弟のために、協力させてもらうよ」

「父上」

ライナスの確約を受けて、アレクシスがマティアスの決定を促す。

マティアスはアレクシスを見、ライナスへ視線を移して、最後にセルマを見た。

「……私が、どんな手段を用いても別れさせると言ったら？」

「変わりませんよ。私はどんなことをしてでもセルマと一緒になります」

きっぱりと言い切ったライナスに、ようやくマティアスが折れた。

「……わかった」

諦めたというより、しかたがないというような苦笑交じりの笑みがそこにあった。

「父上」

「第一王子ライナスと、セルマの結婚を許そう」

「ありがとうございます」

ライナスは感謝の意を示したが、セルマは胸が詰まって声が出てこない。ただ頭を下げるだけしかできないセルマの耳に、マティアスの言葉が届いた。

「今ここで、次期王にアレクシスを指名する。アレクシス、今までの兄以上に励み、立派な王になってくれ。ライナス、お前はセルマと共にアレクシスを支えてほしい」

「はい」

それからのことは、セルマにとって夢の中の出来事のようだった。

シャルロットに抱きしめられながら祝いの言葉を告げられ、宰相からも祝福を受けた。

アレクシスは話し合いの結果を早くレイカに知らせると言ってすぐに部屋を出て行ってしまい、マティアスが呆れたように笑っていた。

マティアスは許してしまってからの行動は早く、宰相にライナスとセルマの結婚式の日取りを決めるようにと命じる。ライナスは一日でも早い方がいいと、明日にでもと言い出して、セルマの方が慌ててしまった。

今は二人のことを許してもらえただけで嬉しくて、結婚式のことまで考えられないというのが正直なところだ。

それまでの仕事ぶりに免じて今日は二人でゆっくりしてほしいと宰相に言われ、ライナスの部屋に戻ってきた時もまだ、セルマは夢の中だった。

「疲れた？」

ライナスに促されて椅子に座ったセルマは、ゆるりと首を横に振る。身体は疲れてなどいなくて、むしろ高揚して熱いくらいだ。

「ようやく、父上に認めてもらえたね」

「……はい」

「待たせて、悪かった」

「そんなことっ」

これまでの時間があったからこそ、マティアスに認めてもらえたのだ。寂しさも苦しさも、今思えばあっという間のことだった。

「セルマ」

膝をつき、目線が下になったライナスが、すくうように唇を重ねてくる。

本当ならこんな時間にとライナスの行動を止めなければいけないのだろうが、セルマ自身気持ちの高まりと共にライナスのことが欲しくてたまらなかった。

「ん……っ」

重なるだけで離れていった唇を追うように身を乗り出したセルマは、そのまま椅子から滑り降りてライナスと向き合う。首に手を回し、甘えるようにライナスの首筋に顔を寄せると、笑う吐息が頬に掛かった。

「今日は甘えてくれるね」

「だ、って」

「ん？」

この気持ちを、どう伝えたらいいのだろう。たまらなくライナスが欲しいのに、それを口に出すのは恥ずかしい。無言のままライナスに身をすり寄せると、いきなり身体を抱き上げられた。

「……今日は、昼間からと怒らないだろう？」

「セルマ？」

からかうように言われても、今日ばかりは反論できなかった。

「……私も……」

ライナスを欲しいと思っている。言葉にせずとも、聡い彼はセルマの気持ちを察してくれて、そのままベッドまで運ばれた。

「そういえば」

優しく下ろしてくれながら、ライナスはふと呟く。

「ここで君を抱くのは初めてだ」

「あ……」

改めて言われて気がついた。

王城を出る前は、ライナスがセルマの部屋に通ってくる形だった。王城にいる人間に、王子の部屋に侍女が通うという姿を見られたくなかったからだ。

ライナスが迎えに来てくれて再び王城に戻ってきてからは、ライナスは政務に忙しく、一緒にいる時間も少なくて、夜もセルマが休んでしまってから部屋に戻ってくる毎日だった。

大きなベッドで二人並び、ただ寄り添って眠っていた数日間。それでも、セルマは肌を重ねない寂しさよりも、自分たちの関係がどうなってしまうかという不安の方が大きかった。

その決着がたった今ついて、現金にもライナスに飢えている自分に気づいた。抱きしめられ、くちづけされただけで身体が熱くなってしまうなんて、どれほどの淫乱なのか。

ただ、そんな自分をライナスの前でだけは隠さなくてもいいのだと思うと、気持ちはどんどん逸ってしまう。

「ライナスさま……」

下から手を伸ばしてライナスを抱き寄せる。今日の自分がどれほど乱れるのか、セルマ自身もわからなかった。


何度抱かれても、肌を晒す瞬間は恥ずかしい。そう思っていたはずなのに、今日は少しでも早くライナスに触れてほしいと思った。

服を脱ぎ、下着姿になってライナスを見れば、彼も上半身裸になっている。綺麗で逞しい身体に知らず見惚れていたのか、ライナスが苦笑しながら手を伸ばしてセルマを抱きしめた。

「君に見つめられると、すぐに身体が熱くなってしまうな」

「ラ、ライナスさま」

「セルマは？　君はどう？」

言葉で伝えなくても、抱きしめているライナスにはその変化がわかっているはずだ。それでも言葉を望む彼に惜しむつもりはない。セルマは震える声で告げた。

「私も……です」

ライナスに抱きしめてもらうだけで、くちづけを受けるだけで、セルマの身体は火照るのだ。身体だけではなく、心もすべて、ライナスを求めている。

こんなふうになってしまうなんて、ライナスに抱かれるまで気づかなかった。

丁寧な手つきで下着を脱がされ、セルマはライナスの目の前で裸身を晒した。だが、ライナスはすぐに触れてはくれず、じっと見つめてくるだけだ。視線で愛撫されているような気がして、セルマはおずおずと手で胸元と下肢を隠そうとした。

「隠さないで」

「で、でも……」

触れていないのに、乳首が尖ってきているようで恥ずかしいのだ。

「全部、私のものだろう？」

これ以上確認しなくてもいいのにと思うが、ライナスが望むのなら何でもすると決めた。自分を選んでくれた愛しい人に、己が持っているものなら何でも与えたかった。

羞恥は消えなくても、ライナスがこの身体を愛してくれるのなら、すべてを受け入れられる。

だが、どうしても、動きは緩慢《かんまん》になってしまう。あまり見ないでほしいと願いながら、セルマはようやく手を下ろした。

この沈黙の時間がとても長かったが、やがてライナスはセルマの乳房を片手で包んだ。まるでその形や柔らかさを確かめるように一撫でずると、今度は胸の中心にある乳首を指先で突いた。

その指は、腰から尻へと撫で下ろされ、固く閉ざした足の間に侵入してくる。

「……っ」

足を開けばいいのか、どうするのが正しいのか。セルマが迷っている間に、今度はライナスの唇が肌に落ちてきた。指で触れた後を辿るように舌は這っていき、やがて先ほど止まった足の狭間に息が掛かった。

「開いて？」

「え……」

「セルマ」

何をされるのか。不安以上に高まる期待に、セルマは少しだけ足を開いてみせる。すると、ライナスはいきなり片足を肩にかけるようにして大きく広げた。

「きゃっ」

体勢が崩れたセルマはそのまま倒れそうになったが、ライナスが上手く支えてベッドに仰向けにされる。足の間にはライナスがいて、あろうことかセルマの秘裂を舌で舐め上げ始めた。

「ひゃうっ」

突然のことに、咄嗟《とっさ》に足を閉じようとするものの叶わず、その上ライナスは両手で足を押さえて愛撫を続ける。唾液をたっぷりとのせた舌が何度も秘裂を舐めて、セルマは背中が震えるような快感が波のように襲ってきた。

　不浄な場所に口を付けられる生理的な違和感はあるのに、その一方でもっと強い刺激を欲しがる自分がいる。ライナスの髪を摑み、引きはがそうとする理性とは裏腹に腰を押し付けて、ライナスの舌が身体の中に入ってくるのを望んでしまう。そんな自分がどれほどいやらしく、浅ましいのか、わかっているのに揺れる腰を止められなかった。

(気持ち、……いっ)

　逞しい陰茎で身体の中いっぱい擦られる刺激とはまた違う、繊細に蠢くそれが身体の芯の熱をもっと高めていく。

「ど、して……っ」

　ピチャピチャという淫らな水音が、耳ではなく頭の中に響いて怖い。

「あ……んっ、んんっ」

　舌と共に、中に入っているのは指だ。長く器用な指は、舌が届かない場所を絶妙に刺激してくる。ピクピクと反応する身体を、セルマ自身もはや止めることができなかった。

「……っは」

「セルマ」

　顔を上げたライナスが、セルマの顔を覗き込んできた。濡れた唇を舌で舐め、情欲に光る眼差しを向けてくる。ゆっくりと近づいてくる唇が濡れているのをぼんやりと見つめながら受け入れたセルマは、倒錯的な思いを抱きながら侵入してくる舌と自分のそれを絡めた。

「ふ……んぅ」

（これが、私の中に……）

今自分を翻弄《ほんろう》している舌が、さっきまで自分の中に入っていたのだ。上も下も、この舌で翻弄されていることに眩暈がしそうだ。

「……はっ」

散々弄られた後、唾液の糸を引きながら離れた唇が弧を描く。いつも涼やかに笑んでいる彼の、男臭い表情に胸が高鳴った。

「え……あっ……んふっ」

まだ中に入ったままの指が、さらに激しく内襞を押し広げながら動いている。セルマはたちまち高まった。

「いいよ」

耳元で、甘い声が囁く。

「このまま」

「あ……あっ！」

一瞬、頭の中が真っ白になってしまい、次の瞬間力なくベッドに沈んだ。

気をやってしまったのだと、しばらくして悟った。指だけで高まるなんてどれほど飢えていたのかと恥ずかしくてたまらないが、見下ろしてくるライナスの顔には嬉しそうな笑みが浮かんでいる。

「綺麗だったよ」

「……うそ」

「私が君に嘘を言うと思う？」

「……」

嘘は言わないが、閨の中では時々意地悪をするのは確かだ。ただ、それを嫌だと思わない自分もいるので、ライナスを一方的に責めることはできない。

複雑な気持ちが表情に出てしまったのか、ライナスは目を細めて笑いながらくちづけをしてくる。流されるようにそれを受け入れたセルマは、ふと腿に当たる硬い感触に気づいて足を動かした。

（これ……）

ライナスの高まりが服越しでもわかるほど大きくなっているのだ。自分だけが感じさせられてしまった仕返しにというつもりはなかったが、セルマはライナスの下肢に手を滑らせ、服の上からそれを撫でてみた。

少しだけ、目の前のライナスが眉間に皺を寄せたのがわかった。

「……いたい、ですか？」

「いや」

「……もっと？」

「……もっと、してくれる？」

ライナスが喜んでくれるのならもちろんしたい。セルマは何度も服の上から刺激するよう手を動かした。しかし、直接でないとライナスの熱さを感じられなくて寂しくて、セルマは焦れたようにライナスに身体をすり寄せる。自分の手で脱がせればいいのに、気をやったばかりの手には力が入らなかった。

セルマの仕草に何を求められているのか敏感に悟ったライナスは、セルマから離れて身に着けていたものをすべて脱ぎさる。滾って頭をもたげている彼の陰茎は、既に溢れ出た蜜で濡れ光っていた。

「ライナスさま……」

自分の痴態が、彼を感じさせたというのが嬉しくて、セルマは躊躇うことなくそれに手を伸ばした。思った以上の熱さに一瞬手を引いたが、すぐに指を絡め、さらに鍛えるように上下させて擦り始める。

ベッドの端に腰かけたライナスは、跪くセルマの髪を何度も撫でた。その指の優しさとは正反対の、淫猥な陰茎の様相。拙い愛撫に反応してくれていると思うと、いっそう手の動きに熱が入った。

どこを、どう刺激すれば気持ちが良いのか、すべてライナスが教えてくれた。彼以外と身体を重ねることはないので、それが正しいのかセルマにはわからない。それでも、ライナスが喜んでくれるのは嬉しいし、彼が望むのならばもっと淫らになりたいとさえ思った。

ライナスの陰茎から溢れる蜜はセルマの手を濡らして、滑りが良くなったせいで動きも滑らかになる。手の中のものはますます大きくなっていって、

「…っつ」

ライナスの息が乱れ、手の中の陰茎もピクピクと脈動し、

「あっ」

突然、その飛沫が手だけでなく、胸元まで飛んだ。

その勢いに驚いて思わず手を離すと、陰茎が震えて残滓《ざんし》が床に滴り落ちるのが見える。

「セルマッ」

それまで余裕が見えていたライナスだったが、いきなりセルマの腕を引いてベッドに押し倒すと、荒々しく唇を塞いできた。

「んんっ」

（い、息がっ）

呼吸をしようと顔をずらしても追いかけてくる唇に、セルマは息苦しくなってライナスの背中を打つ。だが、それを催促と勘違いしたのか、くちづけの勢いはさらに増してしまった。

「あ……んぁっ」

呑み込めない唾液が唇の端から零れ、それを舐めあげたライナスの舌が胸を這う。痛いほど乳房を揉み上げられ、乳首は唾液を絡めた口の中で弄られ、セルマは息も絶え絶えに

喘ぎ続けた。

身体が熱くて、その熱の放し方がわからなくて、セルマは必死にライナスの動きについていく。いや、置いて行かれそうになるとライナスはいったん手を弛めてくれるのだが、一呼吸置くとたちまち執拗な愛撫を繰り返した。

(ラ、ライナス、ライナスさまっ)

いつの間にか下肢を割った手は再び秘裂を撫で擦り、まるで陰茎を入れている時のように指を出し入れされる。

痛みはなかった。むしろ、指では届かないもっと奥、もっと熱い場所に触れてほしくて、セルマはライナスの腕を摑んで強く下肢に押し付けてしまう。はしたないのに、ほしいという気持ちを抑えきれなかった。

「セルマ……ッ」

セルマの無意識の欲求に、ライナスはすぐに応えてくれる。足を割り、濡れたそこに熱いものが押し付けられた。

「……愛している」

「!」

「君は?」

こんな時に言うなんて。

「君は、セルマ?」

甘えるように言うくせに、密着している下肢の凶暴さに身体の芯が疼いた。

「……い、して、ます」

「もう一度」

ぐっと、切っ先が滑った場所に侵入してくる。

「あい、して……ます」

「セルマ」

まるで誓いのくちづけのように唇が重なったと同時に、先端がめり込んだ。

「んあっ……！」

身体はとっくに蕩け、容易に受け入れられると思っていたのに、恐ろしいほどの圧迫感と鋭い痛みが下肢を襲った。許容量以上のものだとわかっているつもりでも、なんだかいつも以上に――。

「……っ、ごめん、いつもより……」

大きくなっていると熱い吐息と共に耳元で囁かれたが、それに応えようにも喘ぎ声しか洩らせなかった。

熱根は徐々に内襞を押し広げ、セルマの身体の中を犯していく。

（あ……あ……ぁ……）

生々しく感じる熱さと形。それが、まるで生きているように脈動しているのも直接感じ取れる。二つの肉体が一つになるということはこういうことだと、今更ながら思い知っている自分がおかしかった。

もしかしたら、お互いの想いを伝えあい、受け入れたから、今までとは格段に違う性交になっているのかもしれない。身体の熱ばかりではない、気持ちが通い合うということも、抱き合うことに必要な要素かもしれなかった。

「セルマ……」

名前を呼んだライナスが、涙が滲んだ目元に、紅潮した頬に唇を寄せる。それに合わせるように腰を動かし、セルマの身体は奥へと陰茎をのみこんでいった。

「はぁ……んっ」

いったい、いつ終わるのかわからないまま、セルマはライナスに合わせて浅い呼吸を繰り返し、確実に内襞を押し分けて入ってきたものがようやく、最奥を突いた。

「んっ」

「大丈夫？」

「……は、い」

下肢は、じんじんと痺れている。もういっぱいで苦しいのに、気持ちは晴れやかで、嬉しくてしかたがない。

セルマがライナスの額に滲む汗を拭おうと手を伸ばすと、ライナスが摑んで指先にくちづけた。その瞬間、痺れて中のものを締め付けてしまい、ライナスも低く呻いた後、苦笑を浮かべる。

「このまま気をやるなんて、もったいない」

「ライナス、さま」

「もっと、君を味わいたい」

ライナスはセルマの腰を摑んでゆっくりと陰茎を引き出した。襞が擦られ、違った刺激に腰が戦慄く。

半分ほど出されたそれが、また徐々に中へと押し入られた。

次第に激しくなっていくその繰り返しに、セルマの声も甘く蕩けたものになっていく。

（な、中がっ、熱い……っ）

陰茎から溢れた蜜のせいか動きは思った以上に滑らかで、セルマは身体の中を様々な角度で突かれた。

いつの間にか、軋むような痛みは消えた。いや、残っているのかもしれないが、次々与えられる快感に思考が追いつかなかった。

このまま気をやったら、どれだけ気持ちが良いだろうか。そう思ったセルマの感情をまるで読み取ったかのようにライナスの動きは増して、

「んーっ…………！」

まるで叩き付けられるように、最奥で陰茎が弾けた。さっきは肌で感じた熱が、今度は身体の奥で広がっていく。

「あ……あぁ……ん」

ライナスはぴったりと腰を押し付けたまま、最後までセルマの中に吐き出している。ライナスの愛情が身体の隅々まで浸透していくようで、セルマは言葉にできない幸せを感じた。

「……セルマ」

「……ライナス、さま」

「愛しているよ」

「……」

頷こうとして、セルマは無意識に中のライナスの存在に呻き、そして目の前にいる愛おしい男の肩に手を回す。

「……愛して、ます」

「……私だけ?」

「は、い」

「……」

その時、ライナスは一瞬言いよどんだ。それきり、セルマの身体を抱き締めてくちづけを繰り返すが、セルマはその間が気になってしまった。

ライナスは何を言おうとしていたのか。それを尋ねようとして、頭の中に何かが過《よぎ》った。

もしかしたら、ライナスはフレインのことを言いたかったのではないだろうか。セルマの最初の結婚相手として、身体は重ねなくても夫婦として暮らした彼のこと。ライナスは

気にしていないというふうを装っていたが、気にならないはずがないのだ。

フレインの思いが込められた手紙を読んでも、こんなにも身体の一番奥で感じ合う関係になった今でも、ライナスの中には消えない不安があったのかもしれない。

（……幸せに、なりたい）

フレインのことを忘れることはできない。それでも、この先一緒に生きていくのはライナスだ。

穏やかな愛情とは違う、胸が苦しく、飢餓感さえ覚える狂おしいこの感情を抱く相手は、この先もずっとただ一人だけだ。

「……あなた、だけ」

「セルマ」

「あなただけ……愛しています」

【幸せになりなさい、セルマ】

どう説明したらわかってもらえるかと思ったが、セルマの目をじっと見つめていたライナスが、次の瞬間痛いほど強く抱きしめてくる。

「……あっ」

すると、まだ中にあるライナスのものが、さらに勢いを増して内襞を突いてきた。

ライナスも己の変化がわかったのか、ふっと息を吐いて自嘲するように呟く。

「……現金なものだな」

こんな時に限ってと言うつもりなのかもしれないが、セルマはそんなライナスを可愛く感じてしまった。いつも二歳差を感じないほど大人びているライナスに対して、そう思うこと自体珍しい。それでも、こんなに真っ直ぐ自分のことを思ってくれている年下の男を愛さずにはいられなかった。

「どうして笑ってるんだ？」

「……可愛くて」

「可愛い？」

「……あなたが」

「私が？」

虚を突かれたような顔をしたライナスだったが、やがてその顔には悪戯っぽい笑みが浮かぶ。もしかしたら照れ隠しかもと思ったが、

「あんっ」

いきなり奥を突かれ、セルマは嬌声を上げてしまった。

「そんなにも余裕があるなら、もっとたっぷり付き合ってくれるよね？」

「ま、待って……んぁっ」

突然攻めたてられてセルマは懇願するが、なぜか火がついたらしいライナスの情熱はさらにも増してセルマを追い詰めていった。

気持ちとは裏腹に、濡れて火照った中は見る間にライナスの陰茎を包み込み、扱いて、

もっとと欲しがっている自分がいる。滲み出る汗も唾液も、精液も、互いのすべてが混じり合い、溶け合った。汚いものも綺麗なものも、何もかもわからなくなって、ただ互いの想いと、欲情だけがその場を支配し、セルマの頭の中にはライナスを欲しいという感情だけしか残らない。

「ライ、ライナスさまぁっ」

「セルマッ」

舌を絡め合うくちづけに気が遠くなりながら、セルマはただライナスの名前を呼び続けた。

「やあっ、あぁんっ」

「……っつ」

次の瞬間、身体の中に叩き付けられた精液が、身体の中に浸透していく。心も身体も、すべてがライナスのものになる。それが、たまらなく嬉しい。

「……愛して、ます」

掠れた声で告げると、ライナスは痛いような表情になり、セルマの身体に覆いかぶさってきて——大きくて、温かくて、いつだって自分を守ってくれる愛しい身体を受け止めながら、セルマはようやく自分の居場所を見つけたような気がした。

終章

執務室に茶を持って行ったセルマは、扉を叩こうとした時に突然中から勢いよく開かれて驚いてしまった。

「……アレクシスさま？」

「……」

そこに立っていたのはアレクシスだった。アレクシスもセルマがいることに一瞬目を瞠ったが、すぐに眉間に皺を寄せたまま背後を振り返る。

「邪魔だろうから、しばらく席を外す」

止める間もなくアレクシスが立ち去ってしまい、セルマはどうしたらいいのかと戸惑ってしまったが、

「あっ」

いつの間にか側にきていたライナスが、セルマが手にしていたトレイを持ってくれた。

「どうぞ」

「お仕事中では……」

「アレクが出て行ったし、しばらく休憩にするよ。いいね？」

最後の言葉は宰相に向けて言ったらしく、彼は肩を竦めて立ち上がった。

「場を弁えてくださいね」

「わかっているよ」

宰相はセルマに一礼して部屋を出て行ってしまう。ライナスと取り残された形になったセルマだったが、彼に促されて椅子に腰を掛けた。

仕事の邪魔をしたかもしれないと思うと落ち着かなかったが、ライナスは本当に一休みするつもりらしく、自分で茶まで入れている。多忙なライナスがせっかく作ってくれた時間をセルマも大切にしたくて、彼とのひと時の会話を楽しもうとしたのだが。

「別にいいと思うけど」

「駄目です」

強く言い切ると、ライナスは苦笑しながら肩を竦める。

「セルマは本当に頑固だね」

「ライナスさまが楽観的なんです」

頑固と言われるのは心外だった。セルマとしてはごく当たり前のことを言っているつもりだからだ。

「誰も文句を言わないと思うよ？　私たちは婚約をしているんだし」

私の部屋に越しておいで。

最初にライナスにそう言われたのは、マティアスから結婚を許してもらってすぐのことだった。彼が言うには、もう事実上の夫婦と同じだし、このまま王城に住むことに決まったので同じ部屋で暮らすのは当然らしい。

しかし、セルマとしてはまだきちんと結婚式を挙げていない段階で、ライナスの部屋に越すことには躊躇いがあった。たとえ、毎夜のようにライナスがセルマの部屋に通っているとしても、だ。

ちゃんと話をしてわかってもらったと思っていたのに、また同じ話をされてしまう。

セルマだって嫌なのではなく、ライナスの立場を考えての決断だった。

「結婚式は一カ月先でしょう？　もうすぐですから」

「それが待てないんだけどな」

そうは言うものの、ライナスが焦っているようにはまったく見えない。この話も、セルマがむきになって否定するのを楽しんでいるようにさえ見えるのだ。

（でも、やっぱりけじめは必要だもの）

始まりがあのような形でライナスと関係を持ったせいか、セルマはきちんとした手順を踏まなければならないと思い込んでいる。それは、自分たちのことを認めてくれたマティアスとシャルロットに対する礼儀だ。

ライナスもそんなセルマの気持ちを尊重して無理強いはしてこないが、事あるごとに同じ話題を切り出してくるから困るのだ。

「このぶんじゃ、アレクがレイカ姫を渫《さら》ってくる方が早いかもしれないな」

笑いごとではない話にセルマは驚いた。

「アレクシスさまがレイカさまを？」

「今、レイカ姫が国に帰っているから、アレクの機嫌が悪くてね。早く色々な政務を教えたいのに、気もそぞろで困っているんだよ」

「じゃあ、さっきのは……」

「それでも、ずいぶん頑張っているんだけど」

つい先日、マティアスは次期王をアレクシスにすると公示した。同時に、アレクシスとレイカの婚約と、ライナスとセルマの婚約も公になった。

王座はライナスが継ぐだろうと思っていた周辺国も多かったらしく、かなり多くの問い合わせもあったようだ。それが、自分に対する不満だとアレクシスも発奮していると聞いていたのだが、どうやら今のアレクシスの意識はレイカに向けられているらしい。

それも彼らしいと微笑ましく思うのは、セルマがアレクシスを弟のように思っているせいかもしれないが。

「……本気ではないですよね？」

「さあ、どうだろうね」

そうは言うものの、ライナスは笑っている。

深刻な状況ではないとわかり、セルマの顔にも笑みが浮かんだ。

「ライナスさまはどう思われているんですか?」

「レイカ姫が関わると、あれはとんでもないことをするから。まるで、手負いの獣みたいで怖いよ」

「獣なんて……」

さすがにそれは言い過ぎだと諫めたが、ライナスはふと思いついたように笑う。

「私も、アレクのことは言えないかな」

「え?」

「セルマが欲しい時は私も獣になるし」

「な、何を言って……っ」

「セルマも獣になっているだろう?」

あからさまな揶揄に、たちまち顔が熱くなってしまった。昼間からこんなふうにきわどい話をされると、どう反応していいのかわからない。そうだと言うのもおかしいし、違うと言うと嘘になってしまう。

最近、ライナスはよくセルマを困らせることを言ってくる。それまで、優しいという言葉が一番当てはまる雰囲気だったのに、なんだかとても意地悪で……少し、いやらしいのだ。

それだけ自分たちの関係が親密になったせいかもしれないが、ライナスは言葉だけでなく態度でもセルマを求めてくれるし、甘えてくれて、我が儘も言う。困ることも多いが、やっぱり嬉しい気持ちが強い。

（……どうしよう……）

なんだか無性に、ライナスに触れたくなった。

どうやって言おうかと逡巡していると、

「セルマ」

ライナスが軽く膝を叩いて名前を呼んでくれる。

（……子供じゃないのに）

膝に座るなんて、周りに人がいなくても恥ずかしくてできないが、セルマは躊躇いながらも立ち上がり、ライナスの前に立った。するとライナスが手を伸ばしてセルマの腰を抱き寄せ、勢いがついて膝に座ってしまう格好になる。

「……重くないですか？」

「軽いよ」

ライナスはセルマの頬に唇を寄せた。

「幸せの重さだ」

「ライナスさま……」

「明日の墓参りで、フレイン殿にも報告しないといけないな。セルマは私が、幸せにするって」

「……今も、十分幸せです」

「もっとだよ」

セルマは機嫌よく笑うライナスの頬を両手で包み込むと、笑みの形になっている唇に自分からくちづけをした。

終

あとがき

こんにちは、ｃｈｉ－ｃｏです。今回は「年下王子の恋の策略」を手にとって頂いてありがとうございました。

今回は年上のお姉さま、セルマと、年下の王子さま、ライナスのお話です。その上、セルマは未亡人。

年上と言っても二歳だけなので、あまり差は感じられないかもしれませんが、セルマにとっては身分差と共に恋の大きな障害として圧し掛かってきます。でも、必死にお姉さんぶっているセルマを書くのはとても楽しかったです。

反対に、ライナスはその年の差を最大限に利用している策略家。一見優しい王子さまですが、腹の中はどす黒い（笑）人なので、捕まってしまったセルマは少し可哀想かも。それでも、もう何年も思い続けているという実績もありますし、きっとセルマには本性を見せないはずなので、案外平和で幸せになってくれるでしょうね。

物語の中でもう一人、重要な役割を担ってくれるのがセルマの亡くなった夫、フレインです。

オジサマというよりもおじいさまの年齢ですが、書くほどに彼がカッコよくて。もう少し若かったら、ライナスにも負けなかったかもしれません。

幼いころは苦労しましたが、出会ってからはそんな二人に守られ、純粋培養で生きてきた可愛らしいセルマ。この先もライナスに大切に愛されていくことでしょう。


今回のイラストは五十鈴《いすず》先生です。

セルマの可愛らしさもさることながら、年下に迫られるお姉さまの雰囲気を十二分に表現してくださいました。そして、ライナスの貴公子然とした顔の裏の腹黒さも（笑）。

エッチシーンは初々しくて、思わず顔がニヤけてしまいますよ。

五十鈴先生、本当にありがとうございました。


年上未亡人という、あまりいない主人公ですが、彼女が幸せを掴む過程を最後まで一緒に楽しんでください。

Sonya
ソーニャ文庫

この本を読んでのご意見・ご感想をお待ちしております。

◆ あて先 ◆

〒101-0051
東京都千代田区神田神保町2-4-7 久月神田ビル7階
㈱イースト・プレス　ソーニャ文庫編集部
chi-co先生／五十鈴先生

年《とし》下《した》王《おう》子《じ》の恋《こい》の策略《さくりゃく》

2015年6月6日　第1刷発行

著　者　chi-co《ちーこ》

イラスト　五十鈴《いすず》

装　丁　imagejack.inc

DTP　松井和彌

編　集　馴田佳央

発行人　堅田浩二

発行所　株式会社イースト・プレス
〒101-0051
東京都千代田区神田神保町2-4-7 久月神田ビル8階
TEL 03-5213-4700　FAX 03-5213-4701

印刷所　中央精版印刷株式会社

ISBN 978-4-7816-9554-9

Sonya ソーニャ文庫の本

『子連れ貴族のお世話係』 chi-co

イラスト 蔀シャロン